La France

Jean-Robert PITTE
Professeur à l'Université de Paris-Sorbonne

Centre for Modern
Languages
Plymouth Campus

NATHA

© 1997 Éditions Nathan - 9, rue Méchain - 75014 Paris
ISBN 2-09-190226-8

INTRODUCTION

La France est le résultat de choix effectués par ses habitants et leurs dirigeants au cours des siècles, choix relativement bien inspirés si l'on compare avec l'instabilité et le dénuement actuels de tant de pays et d'habitants de la planète. Elle est née d'une volonté de vivre ensemble sur un territoire, entre centralisation et respect des différences régionales. La France est devenue l'un des pays les moins densément peuplés d'Europe mais dominé – d'aucuns disent écrasé – par l'une des plus grandes métropoles mondiales qui n'a cessé de favoriser le rayonnement de sa culture et de son économie.

Rayonnement, car les Français sont extravertis, parfois impérialistes, persuadés d'avoir un message à transmettre et certains de l'intérêt du commerce des hommes et des idées, autant que de celui des marchandises. L'économie, souvent présentée en clair-obscur, du fait des 3,5 millions de chômeurs qui l'affligent pour l'heure, se situe au 4e rang mondial par le volume du PIB et des exportations, alors que le pays ne vient qu'en 20e position par son poids démographique. Elle repose sur un accord, d'harmonie variable, entre l'État et le secteur privé. Ce partage se retrouve au plan de l'organisation de l'espace. L'initiative locale est au fond plus importante que ne le laisse croire la puissance d'un État de tradition centralisée.

Cet ouvrage présente quelques traits généraux de la géographie de la France sans entrer dans la structure de l'organisation régionale. Celle-ci s'organise de plus en plus autour des régions définies par la loi de 1973. Pour artificielles qu'elles soient, puisque constituées à l'origine d'agrégats de départements (sauf les régions monodépartementales des DOM), elles acquièrent au fil des années une personnalité de plus en plus forte, sans pour autant atteindre celle des *Länder* allemands ou des provinces espagnoles. Cependant, la France résiste à l'Europe des régions que prônent certains pays récents ou de petite taille. Elle n'est pas prête à abandonner l'idée nationale à laquelle l'attachent les liens de l'histoire et du cœur et qui contribue puissamment à son rayonnement culturel, politique et économique.

Dans cette géographie partielle et sans doute partiale de la France, le conjoncturel et l'actualité immédiate ont été à dessein mêlés au structurel et à l'histoire, car ils n'ont d'intérêt que l'un par rapport à l'autre. Qu'il s'agisse de la France ou de tout autre pays, les traits d'apparence permanente doivent être considérés avec circonspection. Certains ne sont, en effet, que des constructions intellectuelles destinées à donner des titres de noblesse à un peuple et à son territoire en imaginant leur origine dans un passé lointain. Certains caractères ont pu être imprimés de longue date à la France, mais ils ne sont pas éternels, car tout espace est une page à réécrire chaque jour, une liberté fondamentale des hommes, une invitation au déploiement de la créativité et de l'imaginaire. Si le Massif central ou le Rhône n'ont pas bougé au cours de l'histoire, leur rôle a beaucoup varié, tantôt angle mort et frontière, tantôt charnière et espace de contact ou de convoitise. Paris polarise le pays depuis des siècles, mais la liberté des Français a permis et permet encore d'en tirer le meilleur comme le pire des partis.

L'interprétation de la géographie de la France qui est ici proposée retrace d'abord l'émergence et les fortunes diverses de la nation française, inscrite sur un territoire européen et d'outre-mer qui n'a jamais cessé de varier dans sa configuration, atteignant sa plus grande extension dans la première moitié du XXe siècle. La « métropole », cœur européen et hexagonal de la construction, est constituée de milieux qui résument le continent et dont les vocations et les utilités ont constamment varié au cours de l'histoire, composant des alliances et des complémentarités ou s'opposant. Le subjectif le dispute à l'objectif dans l'une ou l'autre des analyses, géoculturelle et géopolitique ou géoenvironnementale. On a ensuite cherché à dégager les traits originaux de l'organisation interne du territoire en matière de pouvoir politique, d'aménagement, de communications, d'urbanisation, de production économique. Il est ensuite apparu nécessaire de proposer quelques éléments de réflexion sur l'espace vécu ou, autrement dit, la manière qu'ont les Français d'organiser le cadre de leur vie quotidienne. Enfin, l'analyse du rôle mondial de la France ne doit pas être regardée comme une clause de style habituelle, fondant le sujet dans une vaste perspective, mais comme une nécessité au regard du caractère communicatif d'un peuple plus attaché qu'il ne le dit à exporter sa manière de concevoir le monde et la société.

1

Naissance du peuple français et de la France

Les nations sont des constructions territoriales édifiées par des sociétés, hétérogènes à l'origine, acceptant, sous la houlette de leurs chefs, de vivre en commun et de partager, pour y parvenir, un certain nombre de traits culturels : organisation politique et lois fondamentales toujours, religion et langue parfois, manières de vivre, paysages très partiellement. À l'image de la vie, ces caractéristiques peuvent varier dans le temps, tant dans leur contenu que dans leur enveloppe frontalière.

Comme toutes les autres nations, la France est avant tout une idée, un sentiment national plus ou moins bien partagé par ses habitants, au cours d'une histoire qui a connu des vicissitudes, des enthousiasmes, des découragements, des drames. Écrire sa géographie historique, c'est d'abord retracer l'apparition d'une conscience nationale en Île-de-France et sa diffusion pendant le deuxième millénaire sur un territoire métropolitain et d'outre-mer, toujours plus vaste jusqu'aux décolonisations qui ont suivi la Deuxième Guerre mondiale. La France est l'un des pays d'Europe qui jouit de la plus ancienne conscience de lui-même, ce qui constitue l'une des raisons du rayonnement de sa culture à l'étranger.

Ses frontières ne sont évidemment en rien naturelles. Elles ne valent que par les traités qui ont été conclus avec les pays voisins et par le sentiment d'appartenance qui anime les populations qu'elles enserrent. Le Rhin n'est devenu frontière qu'au XVIIᵉ siècle et a continué à faire couler beaucoup de sang pendant trois siècles. Au nord et au sud du Dauphiné, la ligne de crête des Alpes n'a borné la France qu'à partir de 1860 et même de 1947 pour La Brigue et Tende. Moins justifiables encore par le relief ou l'hydrographie sont les frontières avec la Belgique ou avec la Suisse dans le Pays de Gex.

Comme tous les pays d'Europe, le territoire s'est formé par agrégation de pièces et de morceaux. La France a longtemps conservé des enclaves étrangères à l'intérieur de ses frontières principales. La Lorraine n'a été léguée qu'à la mort du duc Stanislas en 1766 et le

QU'EST-CE QU'UNE NATION ?

« Une nation est une âme, un principe spirituel [...] L'homme n'est esclave ni de sa race, ni de sa langue, ni de sa religion, ni du cours des fleuves, ni de la direction des chaînes de montagnes. Une grande agrégation d'hommes, saine d'esprit et chaude de cœur, crée une conscience morale qui s'appelle une nation [...]. Les nations ne sont pas quelque chose d'éternel. Elles ont commencé, elles finiront. La Confédération européenne, probablement, les remplacera. Mais telle n'est pas la loi du siècle où nous vivons [...]. Une nation est donc une grande solidarité, constituée par le sentiment de sacrifices qu'on a faits et de ceux qu'on est disposé à faire encore. Elle suppose un passé ; elle se résume pourtant dans le présent par un fait tangible : le consentement, le désir clairement exprimé de continuer la vie commune. L'existence d'une nation est [...] un plébiscite de tous les jours, comme l'existence de l'individu est une affirmation de la vie. »

Source : Extrait d'une conférence d'Ernest Renan prononcée à la Sorbonne le 11 mars 1881, cité par Carlrichard Bruhl in *Naissance de deux peuples : « Français » et « Allemands » (IXᵉ-XIᵉ siècles)*, Paris, © Librairie Arthème Fayard, 1995.

AUX ORIGINES DU SENTIMENT NATIONAL

L'idéal national qui se fortifia tout au long du Moyen Âge créa des solidarités plus étroites et plus chaleureuses, souda la communauté divisée en promouvant à l'intérieur amour et concorde et en rejetant l'ennemi à l'extérieur, en dehors des frontières, dans le chaos, la forêt et la nuit. Valeur très affective, parlant d'amour plus que de devoir, il réussit à faire accepter les nouveautés nécessaires à la survie du groupe, l'impôt régulier et l'armée permanente qu'il justifiait. Le commun accepta de payer, la noblesse de mourir et le clergé admit au paradis les bons contribuables et les morts au combat. Reconnaissons l'altérité de cette valeur : fondée sur la race, le sentiment religieux, le souci des hiérarchies, multiple autant qu'unitaire, elle est très différente des France postérieures – ni égalitaire, ni laïque, ni terre de liberté, ni soucieuse d'unité linguistique ou de génie littéraire. Cette autre France fut pourtant pour chacun de ses fils, du roi au plus humble, la mère qui console et maintient l'espérance. Reconnaissons-en aussi l'efficacité : en ces temps de catastrophe, la France avec une majuscule a probablement sauvé la France réelle.

Source : d'après Colette Beaune, *Naissance de la nation France*, Paris, © Éditions Gallimard, 1985.

Comtat-Venaissin annexé en 1791. Il reste deux enclaves, la commune espagnole de Llivia dans les Pyrénées-Orientales et une principauté dont la renommée et le particularisme sont inversement proportionnels à la taille, Monaco.

1. Avant la France

Afin d'entourer la jeune nation française d'un prestige élevé, les Capétiens ont cherché à lui inventer une ascendance mythique la reliant aux grands événements du passé. Au XIXᵉ et au XXᵉ siècles, les régimes politiques successifs et les savants ont poursuivi la construction d'un édifice intellectuel et sentimental qui dure encore (commémoration du baptême de Clovis décidée par F. Mitterrand, accompagnée de savants ouvrages d'histoire, célébrée par le pape et, prudemment, par J. Chirac). Cet effort de longue haleine qui absorbe et transcende les vérités historiques a fondé la cohésion nationale et créé une véritable patrie. Les événements mythiques sont si étroitement imbriqués avec les faits avérés qu'il est indispensable de les étudier ensemble pour comprendre la naissance de la France et sa personnalité.

1. De Cro-Magnon aux Brachycéphales de Roupnel

Du fait de sa latitude, la France a été épargnée par les grandes glaciations, montagnes exceptées, et s'est donc trouvée constamment peuplée. Pierre Chaunu (1982) estime à 15 milliards le nombre d'hommes qui y ont vécu sur environ 300 milliards pour l'ensemble de la planète. Il est l'un des premiers auteurs à faire de cette possible réalité démographique et culturelle l'un des fondements de l'identité française : « ... les Français ont sous leurs pieds le sol qui contient, proportionnellement aux vivants, le plus grand nombre de morts : 15 milliards de tombes pèsent plus lourd que 50 millions de vivants. » C'est l'un des signes montrant que la construction de l'identité, sur une histoire avérée ou non, n'est pas terminée.

Les sites paléolithiques sont si nombreux en France que la plupart des périodes que distinguent les archéologues correspondent à des stations éponymes françaises (Abbevillien, Acheuléen, Levalloisien, Solutréen, Magdalénien, etc.). Il est vrai que les Français ont joué un rôle éminent dans la naissance de la science préhistorique depuis Boucher de Perthes (1788-1868). L'homme de Cro-Magnon, qui vivait voici 28 000 ans, est même passé de son piédestal scientifique au langage et à la chanson populaires, revendiqué comme un ancêtre sympathique et dégourdi des Français d'aujourd'hui. Les densités de population restent très faibles tout au long de la Préhistoire. On estime qu'il y a 15 500 ans le territoire actuel de la France était peuplé d'une

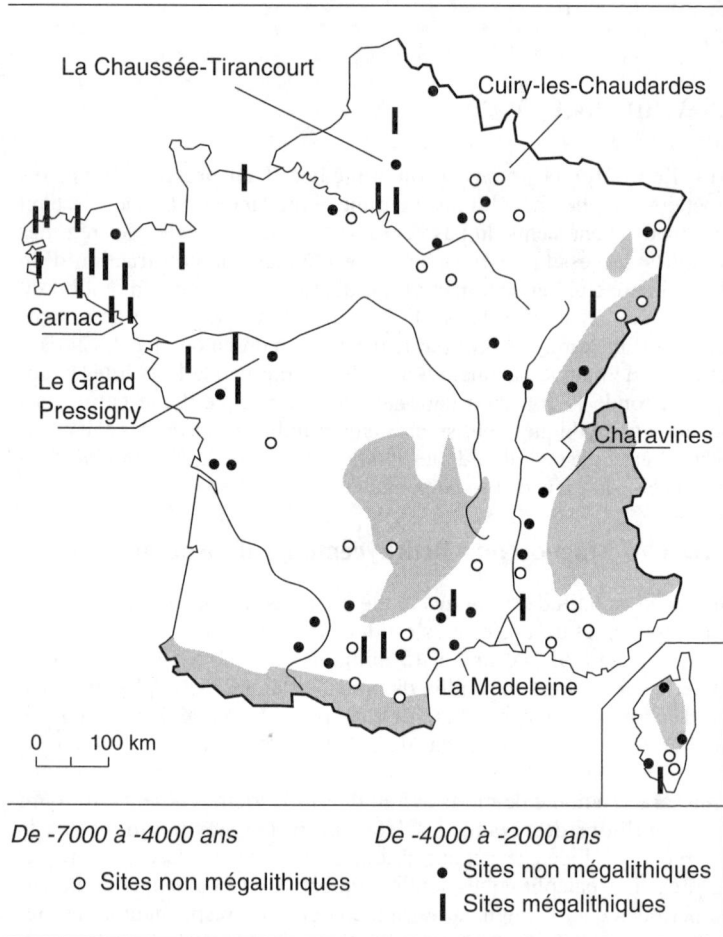

LA NÉOLITHISATION

La Chaussée-Tirancourt

Cuiry-les-Chaudardes

Carnac

Le Grand
Pressigny

Charavines

La Madeleine

0   100 km

De -7000 à -4000 ans

  ○ Sites non mégalithiques

De -4000 à -2000 ans

  • Sites non mégalithiques
  | Sites mégalithiques

Source : d'après J. Guilaine, *La France d'avant la France,* © Hachette, 1980.

vingtaine de milliers d'habitants. C'est dire que la trace des hommes dans les paysages est encore extrêmement ténue.

Tout change avec la néolithisation. Cette avancée technologique essentielle se produit à partir du Ve millénaire, soit par diffusion imitative depuis les foyers plus anciens de la Méditerranée ou d'Europe centrale, soit par invention sur place, ou plus vraisemblablement par les deux processus à la fois. Pendant cette période, de grands bouleversements paysagers se produisent. La forêt qui s'était reconstituée depuis la fin de la dernière glaciation, quelques millénaires auparavant, est défrichée un peu partout et laisse place à des champs et à des pâturages. Gaston Roupnel, dans son *Histoire de la campagne française* (1932), avait voulu faire des brachycéphales, venus des contrées danubiennes pour coloniser les limons du Bassin parisien et les couvrir de céréales, les inventeurs du paysage de « campagne », c'est-à-dire de champs ouverts, caractéristique de la France du nord. Il n'en est rien et cette affabulation qui a connu un demi-siècle de succès doit être, elle aussi, placée au nombre des mythes fondateurs d'une France « éternelle ».

L'agriculture et l'élevage imposent la sédentarisation et donc l'établissement de villages et de chemins. L'augmentation des subsistances entraîne une croissance de la population, laquelle ne cesse de perfectionner ses techniques d'exploitation de la terre et de contrôle du territoire, surtout après l'invention de la métallurgie (le bronze, vers 1800 avant J.-C., le fer vers 900 avant J.-C.).

2. La Gaule indépendante préfigure-t-elle la France ?

« Gaulois » est le nom donné aux Celtes occidentaux, groupe de peuples indo-européens venus d'Asie, qui se fixent sur l'isthme qui sépare l'Europe rhénane et danubienne de la Péninsule ibérique. Celui-ci permet un passage court et sans montagnes entre l'Atlantique et la Méditerranée, par le nord, en suivant la vallée de la Seine, le seuil de Bourgogne et le couloir Saône-Rhône, ou par le sud, le long de la vallée de la Garonne et du seuil du Lauragais. Il s'agit bien ici d'un choix qui préfigure la France. Strabon avait déjà perçu les avantages de cette disposition territoriale que les Gaulois surent exploiter, en particulier dans le commerce de l'étain, abondant en Cornouailles britanniques, en Bretagne, et si recherché en Méditerranée, où il est rare, pour la fabrication du bronze. L'ouverture des tribus sur les mondes lointains est attestée par le contenu de la tombe princière de Vix, en Côte-d'Or, qui date du Ve siècle avant J.-C. La pièce majeure en est un gigantesque cratère de bronze, au décor grec, fabriqué en Étrurie et qui, après avoir débarqué à Marseille, a vraisemblablement remonté le couloir séquano-rhodanien, dans un char à quatre roues.

On comprend que les Gaulois aient pu prendre possession de toute une partie de l'Europe occidentale grâce à leurs remarquables épées de

L'OPPIDUM DE VIX (CÔTE-D'OR)

Les *oppida* gaulois étaient des lieux de rencontre et de refuge, situés sur des éminences ou des îles facilement défendables par des fortifications. On ne peut parler de villes à leur égard, même si les plus évolués d'entre eux se rapprochaient du modèle méditerranéen à la veille de la Conquête romaine (Entremont, Bibracte, Alésia).

fer, mais leur outillage a également permis de grands progrès dans le domaine agricole et donc une croissance démographique. Au moment de la conquête romaine, la population de ce qui est aujourd'hui la France est estimée à une dizaine de millions d'habitants.

Le monde gaulois est loin d'être unifié. César estime à 300 les tribus qui tiennent un territoire qu'il nomme *pagus* et à 60 les confédérations qui forment ce qu'il appelle, à la manière méditerranéenne, des cités *(civitas)*. La population vit généralement dispersée dans des fermes isolées *(aedificium)*, parfois dans des villages *(vicus)*. En cas de besoin, elle se réfugie dans des sites fortifiés *(oppidum)* qu'on ne peut pas réellement qualifier de villes, même si, à la veille de la conquête, les plus importants d'entre eux acquièrent une allure presque urbaine (Alésia, Bibracte). Les frontières entre tribus sont des « déserts » forestiers, aussi larges et donc protecteurs que possible. Si l'on n'est pas trop regardant sur les limites, certains territoires de tribus peuvent être considérés comme fondateurs de circonscriptions romaines, féodales ou administratives postérieures : celui des Parisis, des Helviens (Vivarais, Ardèche), des Petrocores (Périgord, Dordogne), des Vénètes (Morbihan), etc.

À partir du III⁰ siècle avant J.-C., les Grecs reconnaissent les Gaulois comme un ensemble de peuples culturellement proches les uns des autres par leur langue, leurs techniques, leurs coutumes. Ils les appellent Galates, nom qui sera conservé par un groupe installé dans l'actuelle Turquie, par une province de ce pays et un quartier d'Istanbul. Au Iᵉʳ siècle avant J.-C., les Gaulois sont encore loin de l'unité politique, comme le montrent les difficultés rencontrées par Vercingétorix dans sa tentative de coalition destinée à contrer l'offensive de Jules César. Alésia tombe en 52 avant J.-C., en même temps que les rêves d'indépendance d'une grande nation gauloise. Sans institutions politiques nettement définies, sans écriture (ils avaient commencé à emprunter la leur aux Grecs), sans bonnes routes, sans villes, les Gaulois ne pouvaient résister à Rome. À l'exception de certains toponymes et d'environ soixante-dix noms communs, l'héritage linguistique ne demeure qu'en Bretagne ; encore s'agit-il d'une réimplantation celtique du Vᵉ siècle, en provenance d'outre-Manche.

Les Gaulois ne sont explicitement revendiqués comme ancêtres des Français que depuis 1830. Pendant des siècles, l'aristocratie française s'est affirmée descendante des chefs francs, et les Gaulois ou les Gallo-Romains n'étaient que les ancêtres du petit peuple. L'enjolivement de l'épopée de Vercingétorix, au XIXᵉ et au XXᵉ siècles, a été un moyen de galvaniser les Français contre l'ennemi allemand, après la défaite de 1870. Les tentatives récentes de certains archéologues pour ériger les plus grands *oppida* en véritables villes révèlent un chauvinisme mal placé. Les auteurs talentueux de l'immense succès de librairie que sont les albums d'*Astérix le Gaulois* ne se prennent, fort

LES CITÉS DE LA PROVINCIA
ET LES TERRITOIRES DES TRIBUS GAULOISES
AU MOMENT DE LA CONQUÊTE DE CÉSAR
(52 avant J.-C.)

1 Diablintes	6 Meldes	11 Mémini
2 Eburovices	7 Suessions	12 Cavares
3 Veliocasses	8 Véromanduens	13 Albicini
4 Bellovaques	9 Séguvellauni	14 Volques tectosages
5 Silvanectes	10 Tricastins	15 Volques arecomiques

a Cité de Toulouse	c Cité de Narbonne	e Cité de Lodève
b Cité de Carcassonne	d Cité de Nîmes	f Cité de Béziers

heureusement, qu'à moitié au sérieux. Pour eux, l'« occupation romaine » est comparable à l'occupation allemande durant la dernière guerre (voir *Le Combat des chefs*) !

3. L'héritage grec et romain

Les Grecs ont probablement plus influencé la Gaule indépendante qu'on ne le croit, mais de manière indirecte, car les colons demeurèrent dans leurs comptoirs et leurs environs proches, Marseille étant le principal d'entre eux. Pourtant le prestige de l'Antiquité grecque est tel qu'entre le VIIe et le XVIe siècle, les Francs furent considérés comme des descendants directs de Troyens ayant fui la cité de Troie en flammes. Francion, chef de la migration, aurait eu Hector pour père. Toutefois, les Grecs étant païens, une généalogie des rois de France composée à la fin du Moyen Âge rattache plutôt la dynastie à Noé et à David, ce qui convient mieux au bras armé de la papauté.

En revanche, si les souverains ne se sont jamais affirmés parents des empereurs romains, l'héritage de l'Empire a toujours été revendiqué. Charlemagne et Napoléon sont sacrés par le souverain pontife à quelque mille ans d'écart, l'un à Rome, l'autre à Notre-Dame de Paris, mais avec une pompe toute romaine. Mieux que la génétique, ce qui compte c'est le droit, l'ordre, la beauté, l'universalité de la culture. Au XVIe siècle, les Valois sont friands de triomphes à l'antique, lors de leurs entrées solennelles à Paris ou dans les grandes villes du royaume. Vêtus de toges et couronnés de lauriers, ils défilent alors sous des arcs de triomphe, dans des rues ornées de toiles peintes figurant des paysages urbains romains. Versailles est un paysage-poème intégralement inspiré de la mythologie antique, récupérée au profit de la personne de Louis XIV.

Au-delà de la mythologie, l'intégration de la Gaule à Rome a durablement transformé l'organisation de son espace. Le Midi devient romain à la fin du IIe siècle avant J.-C. et Narbonne est choisie comme capitale de cette *Provincia*. À partir de 51 avant J.-C., toute la Gaule est romanisée. Les divisions tribales gauloises s'estompent, mais les nouvelles cités, limitées par des frontières claires, précisent l'organisation antérieure, de même que nombre d'*oppida* sont érigés en capitales de cités. Seuls les plus inaccessibles sont abandonnés : Bibracte·au profit d'Autun, par exemple. *Lugdunum* (Lyon), important lieu de pèlerinage gaulois dédié au dieu Lug, est choisi comme capitale des Gaules. Rome édifie au confluent de la Saône et du Rhône une ville magnifique et y organise tout un rituel politico-religieux autour de l'amphithéâtre et du sanctuaire des Gaules ; chaque année les délégués de toutes les cités s'y réunissent. Tout le territoire conquis se couvre d'un maillage de villes bâties sur le modèle répandu dans l'Empire et témoignant des principes religieux, politiques et techniques de la civilisation romaine. D'excellentes routes, aussi rectilignes que possible, les relient entre elles et à Rome. Les défrichements

LE CARACTÈRE DES GAULOIS DÉCRIT PAR LE GÉOGRAPHE GREC STRABON (58 avant J.-C. – vers 23 après J.-C.)

La race entière, qu'on appelle gallique ou galatique, est possédée d'Arès, irascible et prompte au combat, mais au reste simple et sans méchanceté. Excités, ils se forment en masse pour le combat, ouvertement et sans réflexion, de sorte qu'ils deviennent faciles à manier pour ceux qui veulent les battre. Après les avoir excités, au moment et à l'endroit voulus, et sous n'importe quel prétexte, on les trouve toujours prêts au danger, sans autre secours que leur violence et leur audace. Mais si on les dissuade, ils s'attachent volontiers à l'utile, au point de s'adonner à l'étude et à l'éloquence. Ils se rassemblent en masse facilement à cause de leur simplicité et de leur spontanéité, prenant volontiers le parti de ceux de leurs voisins qui leur paraissent maltraités. À la simplicité, à l'irritabilité s'ajoutent à un haut degré l'irréflexion, la vantardise et l'amour de la parure. Cette légèreté les rend insupportables dans la victoire, alors qu'on les voit abattus dans la défaite.

Source : Strabon, *Géographie*, IV, 4, 2-4.

L'ESPRIT GAULOIS

Qu'entendons-nous donc couramment aujourd'hui par esprit ou tempérament « gaulois », et par la « gauloiserie » ? Il y a dans ces mots, avant tout, une sorte de bonne humeur un peu complice, et la représentation de toutes les jouissances normales et parfois franchement excessives que procurent et supposent une bonne santé, un équilibre naturel : les heureuses satisfactions offertes par la condition humaine, l'absence de refoulement, de complexes, de contraction, de torsion et même de perversité. Il y a toutefois plusieurs éléments dans cette notion. Tout d'abord, l'ancienneté la plus grande possible de ces ancêtres, puisqu'ils ont été les premiers. Le temps de nos origines a toujours raison. L'homme reporte dans cette nuit ou plutôt dans cette aurore ce qu'il peut rêver de plus désirable et de plus réconfortant : l'âge d'Or, le paradis terrestre, à la fois le bon vieux temps et le matin de la vie, la jeunesse de la nature, le printemps de l'humanité, cette éternelle fraîcheur des époques révolues. Il y a ensuite l'énergie des siècles de fer, les calamités vaincues des siècles obscurs, la ténacité d'une race destinée à durer jusqu'à nous. Il en découle un préjugé favorable : solidité, intelligence et même débrouillardise, de ces ancêtres sans qui notre histoire n'eût jamais commencé. D'autre part, nous ne trouvons rien chez eux de cette brutalité troublée de morbidesse qu'illustrent les légendes germaniques, qu'elles soient d'outre-Rhin, d'outre-Baltique ou d'outre-Manche. Qu'il est donc bon d'être normal ! Nous n'imaginons rien, chez nos ascendants, de ce qu'un nouvel argot appelle aujourd'hui *maso-, sado-, schizo-* et autres douceurs dont la *télé-* fait les dimanches d'une jeune classe éberluée.

Source : Paul-Marie Duval, *Pourquoi « Nos ancêtres les Gaulois » ?*, Paris, © PUF, 1982.

s'intensifient. Toute une partie des régions de plaines est remembrée et organisée selon les principes uniformes de la centuriation (divisions cadastrales quadrangulaires). Des *villae* appartenant à des colons ou à des Gallo-Romains de souche celtique s'édifient un peu partout. L'agriculture prospère et exporte une partie de ses produits.

4. La germanisation

Le déferlement des peuples germaniques, à partir du IIIᵉ siècle, entraîne une régression certaine dans l'espace gallo-romain : démographie, organisation politique, agriculture, villes, etc. La forêt repousse partout. Les destructions aggravent les décadences spontanées, mais au terme de plusieurs siècles d'invasions, la table n'est pas tout à fait rase. Les Francs recueillent une partie de l'héritage romain : politique, religieux et, plus généralement, culturel. Tout au long de ces siècles troubles, l'Église est au cœur du processus de survie de Rome. La géographie des évêchés se calque sur celle des cités. À partir des « rejets de souche », une autre civilisation naîtra avec l'empire de Charlemagne.

2. L'enfance de la France

1. La christianisation

Dès le premier siècle de notre ère, la Gaule romaine est pénétrée par le christianisme. La tradition rapporte qu'un groupe de proches disciples du Christ évangélise la région marseillaise (sainte Marie-Madeleine, les saintes Maries de la mer, Marie Jacobé, Marie Salomé et Sara, saint Lazare…) en s'appuyant sur la géographie sacrée des Gaulois (forêt de la Sainte-Baume, par exemple, dans laquelle se retire Marie-Madeleine). Progressivement, des communautés chrétiennes se développent dans toute la Gaule, payant un lourd tribut aux persécutions impériales. Le culte qui est aussitôt rendu aux saints des premiers siècles, martyrs ou non, est fondateur de l'identité chrétienne de la France. Sainte Blandine, saint Denis, saint Martin et bien d'autres seront pendant des siècles considérés comme de véritables héros nationaux. Les monastères qui s'élèvent sur leur sépulture expliquent en partie la survie des villes pendant les invasions. Celui de Saint-Denis, dans les environs de Paris, sera tout naturellement choisi par les Capétiens comme nécropole royale, lorsque ceux-ci entreprendront d'asseoir leur pouvoir.

Au cours des invasions, d'autres chrétiens s'illustrent en témoignant, en combattant, en résistant, en convertissant. Certains sont entrés au panthéon de l'histoire officielle, même après que l'État se fut séparé de l'Église. Sainte Geneviève qui sauva Paris d'Attila en 451 est du

LA GAULE DANS LA DEUXIÈME MOITIÉ DU Vᵉ SIÈCLE À LA VEILLE DE L'AVÈNEMENT DE CLOVIS

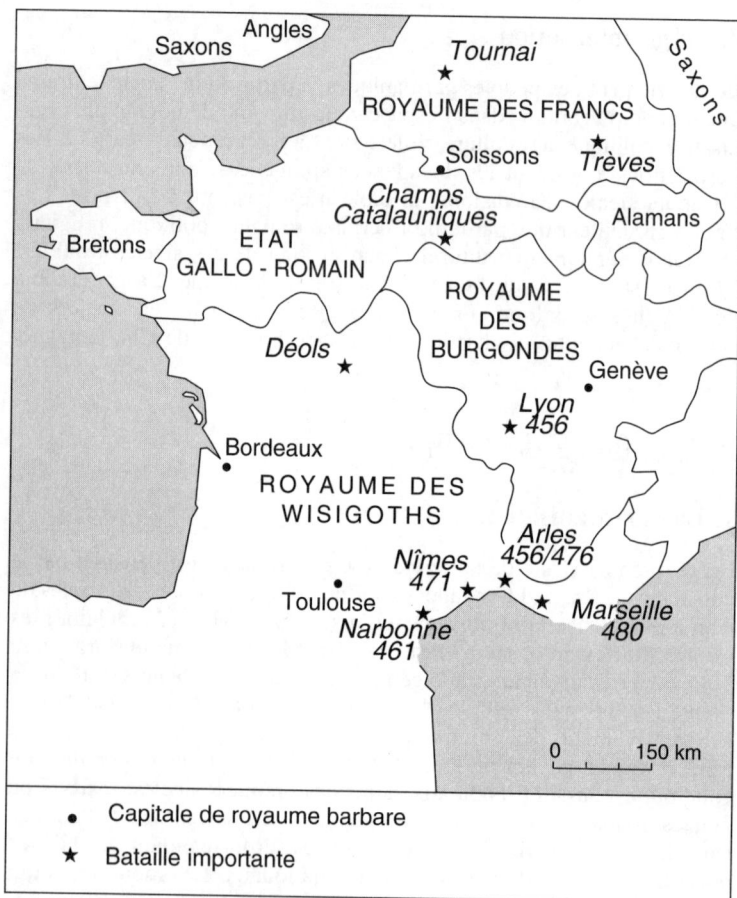

Saxons
Angles

Tournai
★

ROYAUME DES FRANCS

Soissons
•

Trèves

Saxons

Champs Catalauniques
★

Alamans

Bretons

ETAT
GALLO - ROMAIN

ROYAUME
DES
BURGONDES

Genève
•

Déols ★

Lyon
★ *456*

Bordeaux
•

ROYAUME DES
WISIGOTHS

Arles
456/476

Nîmes
★ *471*

Toulouse
•

★

★ *Marseille*
480

Narbonne
461

0   150 km

•   Capitale de royaume barbare

★   Bataille importante

nombre, tout comme, pour le Moyen Âge, sainte Jeanne d'Arc (canonisée en 1920), elle aussi rescapée du « combisme ».

La conversion du roi des Francs Saliens Clovis, en 499 – sous l'influence de son épouse Clotilde, princesse burgonde – occupe une place à part dans l'histoire de la construction de la France. Le baptême de Reims, que la tradition a magnifié à l'extrême (une colombe aurait apporté la sainte ampoule à l'évêque Rémi), a joué un rôle essentiel dans le triomphe des Francs en accréditant l'idée qu'ils constituaient un peuple élu du Ciel. C'est grâce à ce baptême catholique romain – et non arien – que le *Regnum Francorum* a pu s'étendre aussi rapidement vers l'Armorique, la Bourgogne des Burgondes, l'Aquitaine des Wisigoths, la Germanie des Alamans. Soutenu par l'Église, le royaume franc a permis la fusion des coutumes germaniques et de l'héritage romain.

Le choix par Clovis de Paris comme capitale en 508 est évidemment un acte essentiel, puisque Lyon perd définitivement sa suprématie politique dans l'isthme ouest-européen, même si pendant des siècles le réseau de routes reste centré sur l'ancienne capitale des Gaules, y compris dans le Massif central. Rapidement le royaume franc s'étend largement au-delà des Pyrénées, des Alpes et du Rhin.

Les liens de l'Église catholique et du pouvoir politique sont pendant longtemps restés étroits en France. L'idée d'une mission sacrée, d'une vocation particulière de la France dans le monde a été laïcisée au XVIIIe siècle avec la Déclaration des droits de l'homme dont le succès s'est révélé universel. L'acceptation par le pouvoir central de minorités non-catholiques – juives, protestantes et, plus récemment, musulmanes – ne s'est pas faite sans drames, et la laïcité de l'État, pourtant proclamée depuis 1904, ne s'est pas encore imposée avec évidence. C'est la raison des polémiques régulièrement ravivées autour de l'école libre, mais aussi, plus récemment, autour de la commémoration du baptême de Clovis en 1996, avec la visite papale, autour du maintien des crucifix dans les tribunaux des régions concordataires de l'Est ou de la cérémonie officielle célébrée à Notre-Dame de Paris lors de la mort de François Mitterrand en janvier 1996.

2. Le partage de Verdun

Les siècles qui suivent la mort de Clovis, en 511, voient se multiplier les divisions territoriales et les troubles. Charlemagne, qui accède au pouvoir en 768, est sans doute l'un des pères de l'identité française, aussi populaire dans l'imagerie d'Épinal que Saint Louis ou Henri IV. Mais il est aussi le père fondateur du désir d'Europe, de la résurgence périodique – brève, en l'espèce – de l'idée d'un Empire ouest-européen qui reconstituerait l'Empire romain d'Occident : ses avatars les plus spectaculaires seront le Saint Empire romain germanique, l'Empire de Charles-Quint, l'Empire napoléonien, l'Allemagne hitlérienne, la Communauté, puis l'Union européenne.

LE PARTAGE DE VERDUN (843)

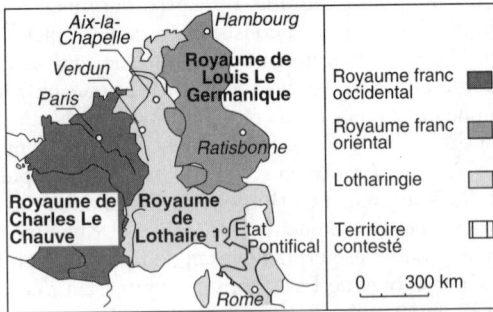

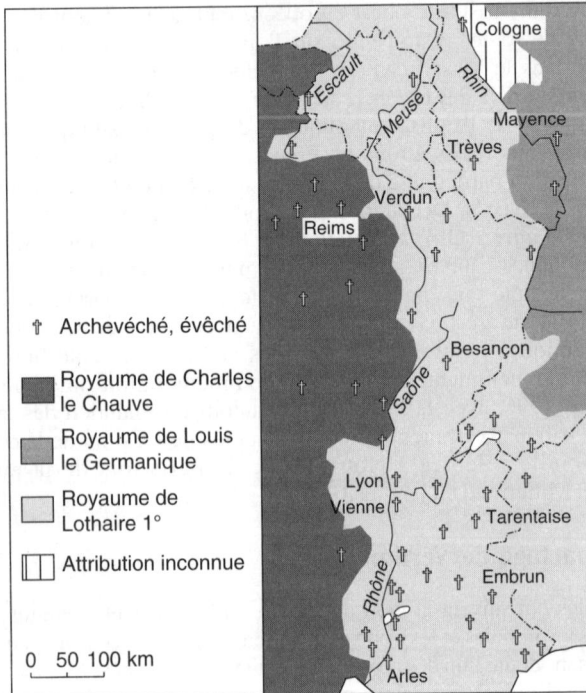

Aix-la-Chapelle
Hambourg
Royaume de Louis Le Germanique
Verdun
Paris
Ratisbonne
Royaume de Charles Le Chauve
Royaume de Lothaire 1°
Etat Pontifical
Rome

Royaume franc occidental
Royaume franc oriental
Lotharingie
Territoire contesté

0   300 km

Cologne
Escault
Meuse
Rhin
Mayence
Trèves
Verdun
Reims
Besançon
Saône
Lyon
Vienne
Tarentaise
Rhône
Embrun
Arles

† Archevéché, évêché

Royaume de Charles le Chauve

Royaume de Louis le Germanique

Royaume de Lothaire 1°

Attribution inconnue

0 50 100 km

Après la mort de Charlemagne, l'Empire disparaît pour longtemps. Le partage de Verdun, traité signé entre ses petits-fils en 843, à la mort de Louis le Pieux, marque durablement la géographie politique. Il suit d'un an le serment de Strasbourg, autre acte fondateur, puisque c'est le premier document rédigé en langue romane, ancêtre du français. L'Empire est partagé en trois bandes méridiennes. La partie ouest, attribuée à Charles le Chauve, forme le royaume de Francie occidentale (appelé royaume de France, à partir du siècle suivant) qui s'étend approximativement de la Manche et de l'Atlantique jusqu'aux quatre rivières : Escaut, Meuse, Saône, Rhône. Il préfigure la France médiévale. À l'est s'étendent la Lotharingie de Lothaire et la Francie orientale de Louis le Germanique.

Les siècles passant, les Français minoreront leur filiation germanique. Il aurait été bien inconvenant en 1871 d'affirmer le cousinage des Allemands et des Français, même s'il existe outre-Rhin une Franconie et une ville de Francfort pour le rappeler. Carlrichard Brühl (1994) a récemment montré que l'émergence de deux sentiments nationaux bien distincts s'était poursuivie du milieu du IXe siècle au milieu du XIe siècle.

C'est également en 843 qu'à Coulaines, près du Mans, se tient autour du roi l'assemblée des grands du royaume qui affirme leurs droits. Il s'agit là d'un autre acte important de l'enfance de la France. Pendant les onze siècles et demi qui suivent, les rois, les empereurs et les gouvernements républicains ne cesseront de lutter pour affirmer ou maintenir le pouvoir central face à celui des régions, incarnées ou non par un puissant personnage. La loi de décentralisation de 1982 est le premier pas en direction opposée.

3. La pelote capétienne

Le sacre de Hugues Capet en 987 marque la vraie fondation de la France actuelle, avec l'entrée en scène d'une famille qui régnera plus de huit siècles sur le pays, lui agrégeant régulièrement de nouveaux territoires, reconquérant à plusieurs reprises ceux qui lui sont enlevés. Sa force est de s'appuyer sur la tradition romaine et franque, sur une légitimité de droit divin garantie par le pape et de créer un sentiment national croissant, qui s'exprimera clairement dès 1214 à la bataille de Bouvines. Mais à aucun moment, l'idée de France n'a été mêlée à la notion de race ou même à celle d'ethnie. Dès lors qu'ils rejoignaient le royaume, les peuples devenaient pleinement français, ce qui ne signifie pas que leurs particularismes étaient gommés. On reconnaît là le principe qui avait fait le succès de l'Empire romain, le seul qui permette aux vastes constructions territoriales de durer.

Au départ de l'aventure, le nouveau roi ne possède en propre que quelques terres comprises entre Compiègne et la Loire, dont la plaine

UN ÉPISODE MAJEUR DE LA NAISSANCE DE LA FRANCE : LE TRAITÉ DE VERDUN

L'histoire européenne offre l'exemple d'une grande opération de division territoriale qui fut autre chose que l'enregistrement des volontés d'un vainqueur. C'est le partage de Verdun, en 843, par lequel les contours de l'État destiné à porter le nom de France furent tracés suivant les décisions d'un conseil d'arbitres qui avaient mûrement étudié, dans une atmosphère de paix, les moyens d'équilibrer les avantages et d'éliminer les principes de discorde. Vidal de La Blache ne mentionne cet acte que pour indiquer les raisons qui, à son avis, lui enlèvent toute signification géographique. « Le partage du traité de Verdun, écrit-il, fut un règlement de famille, fait sans souci des nations ni des frontières naturelles. » Sans doute. Mais il est assez général que, dans un partage de famille, les réalités matérielles ou économiques soient prises en considération avec plus d'objectivité qu'il n'en paraît dans les négociations consécutives aux décisions des armes. En particulier, quand le bien à partager consiste en terres, l'opération suppose une reconnaissance préalable des qualités et aptitudes de ces terres.

À Verdun, en 843, le champ à partager est un large morceau d'Europe qui, des côtes frisonnes et des bouches de l'Elbe, s'étend vers le sud, jusqu'à la Navarre, aux Apennins et au Karst d'Istrie. Quant aux veines inégalement douées, ce sont des zones de végétation en rapport avec le climat ou les propriétés du sol, allongées est-ouest. Pour assurer aux trois frères une participation à toutes les ressources du grand empire, un seul moyen s'offrait : couper perpendiculairement ces bandes. Une seule, celle qui devint la France, a pu conserver jusqu'à l'époque actuelle le privilège de toucher d'un bout à la mer du Nord et de l'autre à la Méditerranée. Peut-être parce qu'elle avait, sur les deux autres, l'avantage de ne pas être coupée par les Alpes.

Source : d'après Roger Dion, *Les Frontières de la France,* 1947, rééd. Gérard Monfort, 1979.

Nota : cette séduisante hypothèse ne repose que sur l'intuition de Roger Dion. Le partage a sans doute aussi été déterminé par le fait que Charles le Chauve était très implanté en Aquitaine, Lothaire en Italie et Louis le Germanique en Bavière.

de France – devenue depuis, avec Roissy-Charles-de-Gaulle, une plaque tournante de la planète. Elles sont éparses, mais riches, grâce à la présence du précieux lœss : le roi de France est le roi du blé et aussi celui du cœur du Bassin de Paris, convergence des principales artères naturelles de circulation du nord de son pays. Les dés de l'organisation régionale de la France sont jetés : Paris commande, l'Ouest et le Midi conservent des particularismes culturels importants. Au sud d'une ligne Poitou-Bourgogne, l'attachement à l'héritage gallo-romain reste vivant.

Le visage de la France de l'an mil est celui d'un pays largement forestier, l'agriculture ayant reculé depuis le début des Invasions, autant que la population a diminué. D'environ 10 millions d'habitants sous l'Empire, la Gaule est passée à 5 millions vers le Ve siècle, pour remonter à 8 sous Charlemagne, chiffre qui ne décolle qu'au XIIe siècle, pour monter à 20 millions en 1328 (F. Braudel, 1986). L'habitat de bois et de terre est tantôt dispersé, tantôt regroupé en hameaux et en villages autour de la motte castrale du seigneur et de l'église. Les villes demeurent à l'emplacement des antiques cités, mais elles se sont réduites comme peau de chagrin. Elles vivent surtout de la présence de l'évêque, dépositaire au nom de l'Église d'un certain nombre de savoirs hérités de Rome.

Au fil des siècles, les Capétiens cherchent à maîtriser pleinement l'accès aux mers proches : la Manche, l'Atlantique, la Méditerranée, plus tardivement, à mordre sur les terres de l'Empire et à conquérir la ligne Rhin-Alpes. Leurs succès ont été nettement plus sensibles vers le sud que vers les régions du nord, très peuplées, dont les villes avaient obtenu très tôt d'importantes libertés et qui étaient donc hostiles au système monarchique capétien. Dans les autres directions, les obstacles n'ont pas manqué pour autant, aussi bien à l'extérieur qu'à l'intérieur. Peu s'en est fallu au XVe siècle que la France ne devînt anglaise ou bourguignonne. Les guerres de religion ou la Fronde auraient très bien pu disloquer la construction, sans l'habileté des princes et un sentiment national alors assez fort pour affronter toutes les tempêtes.

4. Les siècles d'or du Moyen Âge : XIe-XIIIe siècles

Au XIe siècle, le péril barbare est désormais oublié. Derniers venus, les Normands se sont fixés à l'ouest et se tournent vers la conquête de la Sicile et de l'Angleterre. Le royaume connaît une relative sécurité. À cela s'ajoute un radoucissement du climat. Les temps sont propices à l'essor de l'agriculture et la population s'accroît. C'est l'ère des grands défrichements opérés sous l'égide de seigneurs laïcs ou de l'Église. Grâce au collier d'attelage, à de meilleurs outils métalliques, à l'assolement, les rendements progressent partout. Bientôt, dans le Nord-Est la densité de population est telle qu'il faut intensifier l'agriculture par le passage à l'assolement triennal réglé, avec openfield et vaine pâture. Dans l'Ouest au contraire, le bocage progresse en même temps que les défrichements

L'ORIGINE DU TERRITOIRE

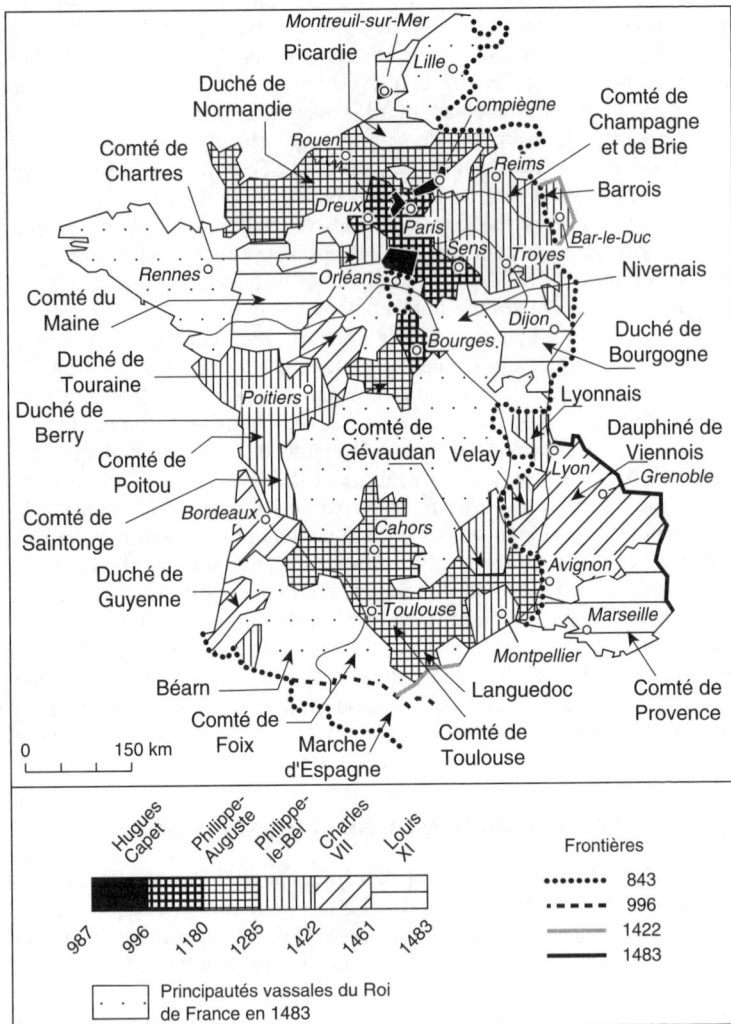

Carte : L'origine du territoire. Villes et régions indiquées : Montreuil-sur-Mer, Picardie, Lille, Duché de Normandie, Compiègne, Comté de Champagne et de Brie, Comté de Chartres, Rouen, Reims, Barrois, Dreux, Paris, Bar-le-Duc, Rennes, Sens, Troyes, Nivernais, Orléans, Comté du Maine, Bourges, Dijon, Duché de Bourgogne, Duché de Touraine, Poitiers, Lyonnais, Duché de Berry, Comté de Gévaudan, Velay, Dauphiné de Viennois, Comté de Poitou, Lyon, Grenoble, Comté de Saintonge, Bordeaux, Cahors, Duché de Guyenne, Avignon, Toulouse, Marseille, Béarn, Montpellier, Languedoc, Comté de Provence, Comté de Foix, Marche d'Espagne, Comté de Toulouse.

Échelle : 0 — 150 km

Légende :

Hugues Capet (987–996), Philippe-Auguste (996–1180), Philippe-le-Bel (1180–1285), Charles VII (1285–1422), Louis XI (1422–1461–1483)

Frontières :
- •••••• 843
- - - - - 996
- —— 1422
- —— 1483

Principautés vassales du Roi de France en 1483

L'ACHÈVEMENT DE LA FRANCE

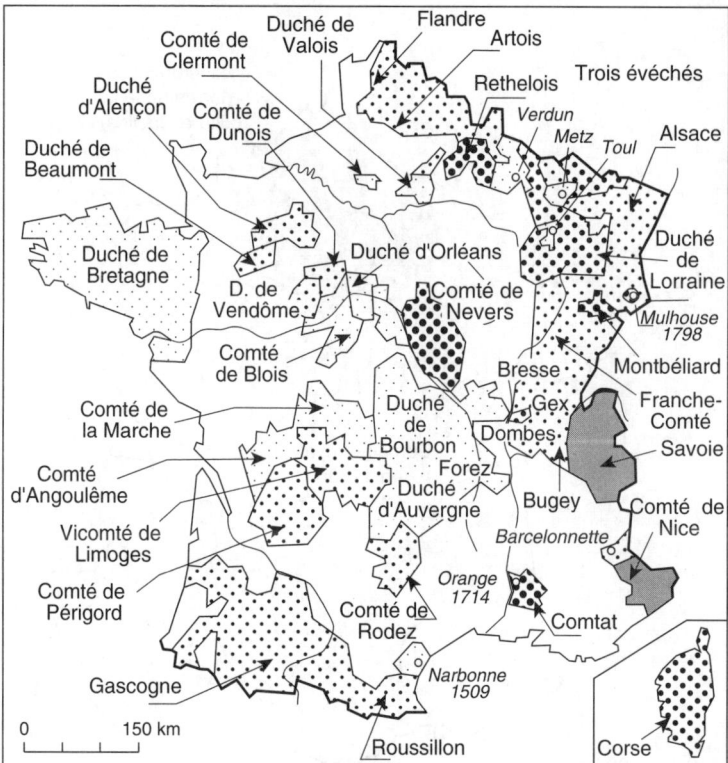

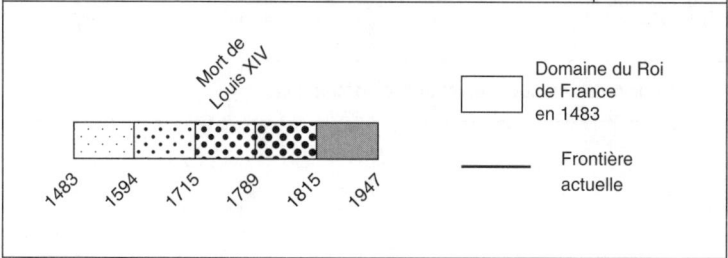

Comté de Clermont
Duché de Valois
Flandre
Artois
Trois évéchés
Duché d'Alençon
Comté de Dunois
Rethelois
Verdun
Metz *Toul*
Alsace
Duché de Beaumont
Duché de Bretagne
D. de Vendôme
Duché d'Orléans
Comté de Nevers
Duché de Lorraine
Mulhouse 1798
Comté de Blois
Bresse
Montbéliard
Comté de la Marche
Duché de Bourbon
Gex
Franche-Comté
Dombes
Savoie
Comté d'Angoulême
Forez
Duché d'Auvergne
Bugey
Comté de Nice
Vicomté de Limoges
Barcelonnette
Comté de Périgord
Orange 1714
Comtat
Comté de Rodez
Gascogne
Narbonne 1509
Roussillon
Corse

0   150 km

Mort de Louis XIV

| 1483 | 1594 | 1715 | 1789 | 1815 | 1947 |

Domaine du Roi de France en 1483

Frontière actuelle

L'absorption des enclaves, de la Bretagne et d'une grande partie de l'ancienne Lotharingie est récente.

L'ART GOTHIQUE : FOI, POUVOIR ET RICHESSE

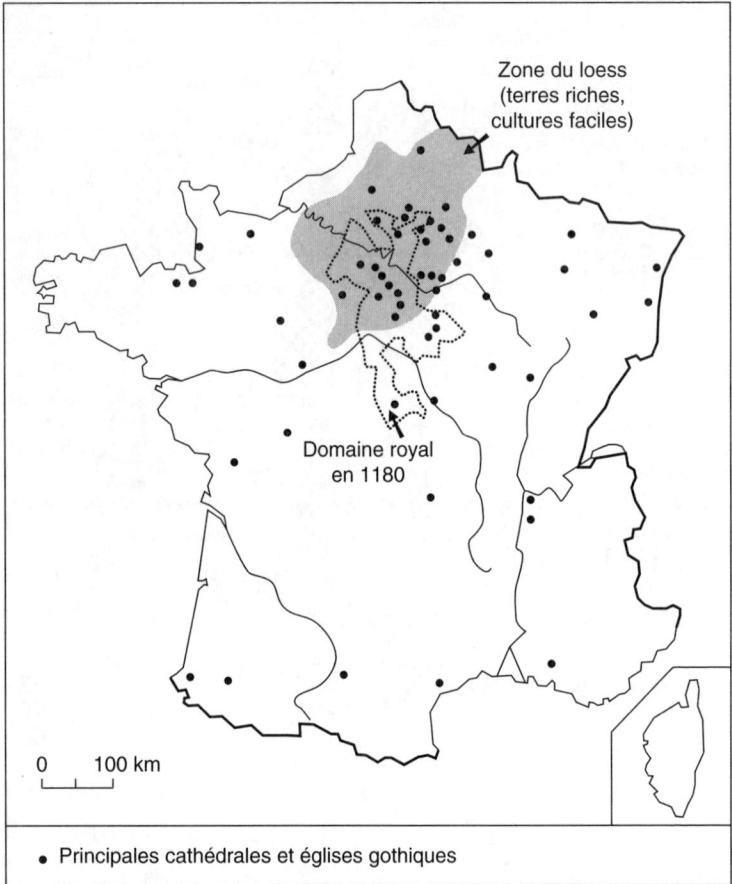

Zone du loess
(terres riches,
cultures faciles)

Domaine royal
en 1180

0   100 km

● Principales cathédrales et églises gothiques

et les appropriations de la lande, tandis que dans le Midi, fidèle au droit écrit, la plus grande liberté paysagère est laissée à chacun. Le maillage des paroisses se fixe autour du Xe siècle. Les villages s'agrandissent, s'enrichissent de belles églises et de châteaux de plus en plus souvent construits en pierre. À mesure que l'agriculture dégage quelques excédents, le commerce se développe, y compris à l'échelle internationale (foires de Champagne), en même temps que l'artisanat.

C'est aussi le temps de la renaissance urbaine. Plus grandes, plus riches, mieux défendues, les villes s'ornent d'édifices religieux qui font leur fierté. L'art « français » – plus tard appelé par dérision « gothique » – naît en Île-de-France au temps de Suger et exprime l'identité du nouveau royaume, appuyée sur la foi et la dynastie régnante, élue du Ciel. Les cathédrales sont les nouveaux forums de villes redevenues foyers de peuplement et organisatrices du plat pays.

3. La France installée

Avec la fin du Moyen Âge reviennent les calamités : stagnation ou régression agricole et commerciale, famines, pestes, guerre de Cent Ans. L'embellie se produit à la fin du XVe siècle avec le retour de la paix et de la prospérité, ainsi qu'un nouveau départ pour le sentiment national s'appuyant sur un renforcement de l'État, qui s'impose davantage dans la vie quotidienne et le paysage des Français.

Il est difficile de comprendre pourquoi la France de la Renaissance a préféré se tourner vers l'Italie voisine, plutôt que vers la conquête de l'Atlantique comme ses voisins ibériques. Sans doute la personnalité des Capétiens de la branche Valois, épris de culture et de raffinement, y est pour quelque chose. Et puis, il est vrai que l'Italie, mère de la civilisation occidentale et siège de la papauté, a toujours été le voisin le plus attirant pour la France. Pour critiquables qu'elles soient, les guerres d'Italie ont conféré à l'organisation politique, aux paysages et à la culture savante quelques-uns de ses traits les plus marquants. Une fois assimilés et intégrés à l'héritage, ce sont eux qui ont fait de la France des XVIIe et XVIIIe siècles la première puissance européenne.

1. Un territoire, un roi, une capitale

À partir du XVIIe siècle, la monarchie fortifie l'unité du territoire. Celui-ci est d'abord mieux protégé sur ses frontières. Par une habile politique de mariages, alternée avec des opérations militaires, la France de la fin de l'Ancien Régime recouvre la paix avec ses principaux voisins. Les frontières étendues vers l'est et vers le nord sont défendues par une chaîne remarquable de forteresses aménagées par Vauban.

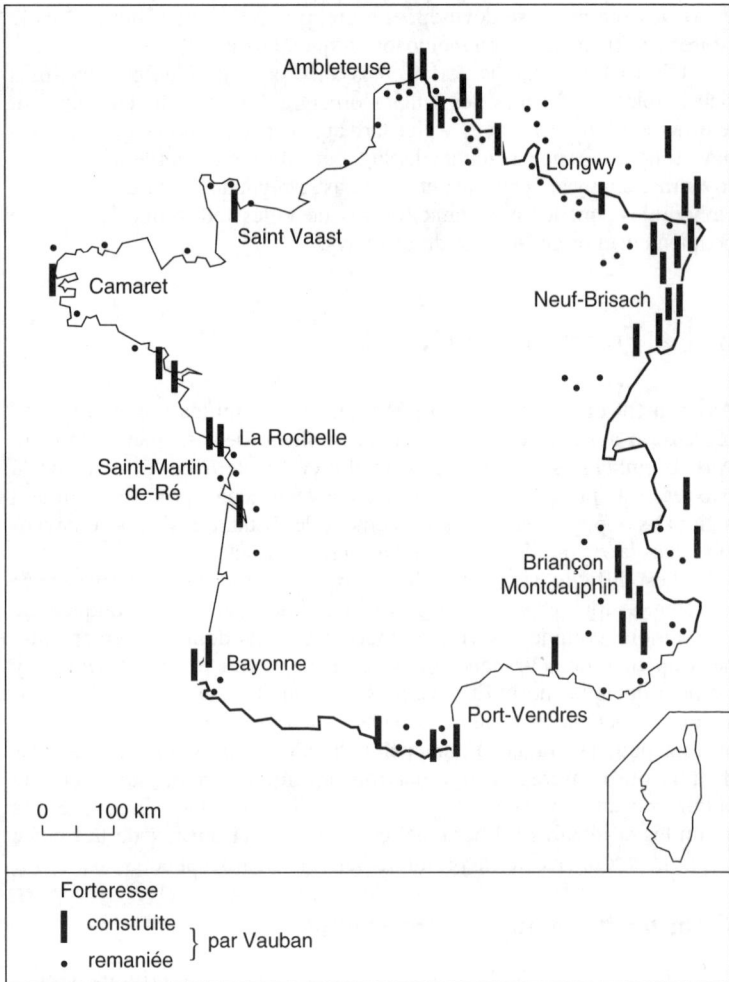

LA CONSOLIDATION DES FRONTIÈRES SOUS LOUIS XIV

Ambleteuse

Longwy

Saint Vaast

Neuf-Brisach

Camaret

La Rochelle

Saint-Martin de-Ré

Briançon
Montdauphin

Bayonne

Port-Vendres

0   100 km

Forteresse

| construite | } par Vauban
• remaniée |

Dans le même temps, et c'est l'autre volet de l'action spatiale des derniers Bourbons, la vie politique et administrative est de plus en plus unifiée et centralisée. Les institutions reflètent cette volonté, en particulier l'étoffement de la cour de Versailles où se retrouvent peu ou prou tous les puissants du royaume. De 148 en 1520, le nombre de seigneurs pensionnés par le roi est de 16 000 en 1789. C'est une différence majeure avec l'Angleterre où l'aristocratie reste beaucoup plus proche des populations rurales, et c'est l'une des causes, non seulement de la Révolution, mais du retard économique pris dans le domaine agricole, puis industriel.

Le maillage des routes de poste, améliorées sous l'égide des intendants, exprime cette volonté centralisatrice par sa disposition en étoile à partir de Paris – volonté renforcée au XIXe siècle par le réseau ferré et au XXe siècle par le réseau des autoroutes, puis des TGV. C'est le même but que vise à partir du règne de Louis XIII l'homogénéisation des styles architecturaux, urbanistiques et artistiques, œuvre à laquelle participent les académies placées sous la protection royale.

2. Les régimes passent, la France reste une et centralisée

Depuis deux siècles, la France a connu bien des régimes politiques, s'achevant dans des révolutions ou des guerres : deux monarchies, deux empires, cinq républiques pour ne citer que les principaux. Il est surprenant qu'aucun de ces régimes, jusqu'à ces dernières années, n'ait voulu ou pu revenir sur le principe de centralisation du pouvoir politique et du territoire, exprimé par la prééminence de Paris. Le débat entre Jacobins et Girondins a été inauguré voici deux siècles ; il est loin d'être clos. L'avenir dira si la décentralisation, pensée par de Gaulle et Pompidou, décidée par la loi de 1982, est une réussite ou non ; il est trop tôt pour en établir le bilan.

Certes, les particularismes locaux n'ont cessé de se dresser contre le pouvoir central, mais ils ne sont jamais parvenus à gagner la partie. L'unité culturelle a toujours soutenu le centralisme politique. L'intégration s'est renforcée dans les armées de Louis XIV, de la Révolution (la bataille de Valmy, le 20 septembre 1792, est l'une des « journées qui ont fait la France »), de Napoléon Ier, de la Grande Guerre, mais aussi grâce à la conscription, à l'école laïque, gratuite et obligatoire de la Troisième République, à la mobilité des fonctionnaires, à la presse écrite, parlée et télévisuelle.

L'identité française semble aujourd'hui moins vigoureuse qu'entre le milieu du XIXe siècle et le milieu du XXe siècle, mais elle demeure très affirmée, loin d'être en voie de disparition dans une Europe encore balbutiante. La majorité des Français ne confondent toujours pas Nation et nationalisme. Les mouvements séparatistes des régions périphériques : Corse, Pays basque et, dans une moindre mesure, Alsace, Savoie, Nice,

L'ÉCOLE « LAÏQUE ET OBLIGATOIRE »
DE LA IIIᵉ RÉPUBLIQUE

Catalogne, Bretagne, Nord ne sont pas négligeables, mais ne recueillent l'adhésion que d'une infime minorité des habitants. Dans les deux premiers cas, l'hésitation de la majorité silencieuse à dénoncer les terroristes explique la persistance d'actions violentes, qui n'ont pas pour unique cause la revendication culturelle.

3. Trois révolutions silencieuses : l'agricole, l'industrielle, la tertiaire

Dès la fin du Moyen Âge, mais surtout à partir du XVIIe siècle, l'agriculture se modernise progressivement, grâce à l'adoption de plantes ou de techniques empruntées à l'Italie, à l'Espagne, à l'Angleterre et au Nouveau Monde : maïs, pommes de terre, plantes sarclées et fourragères permettent d'éradiquer la jachère. Au XVIIIe siècle, l'État crée les bases de l'industrie : les manufactures royales (forges, corderie de Rochefort, salines, cristalleries, arsenaux, armureries, etc.). Au XIXe siècle, la France se dote de l'une des trois plus puissantes industries de l'Europe, grâce à des techniques imaginées par des Français, mais aussi par des Anglais qui ont quelques décennies d'avance, surtout en matière d'application des inventions. C'est l'origine de la concentration de plus en plus forte des hommes et des activités dans les villes, elles-mêmes reliées par de modernes voies de communication. Toute l'évolution spatiale du pays tend vers cette polarisation. Enfin, ces deux grands mouvements sont accompagnés par le développement du secteur des services. Mais en matière de banque, de grand commerce, de transports, comme pour l'industrie, l'initiative vient souvent des minorités religieuses : protestante ou juive, ceci en raison de la méfiance ancienne du catholicisme vis-à-vis de l'argent.

4. Les aventures coloniales

À deux reprises, la France a cherché à se constituer un empire colonial : sous Louis XIII et Louis XIV, ce fut surtout en Amérique (Canada, Louisiane, Antilles, Guyane) et dans l'océan Indien ; sous la Monarchie de Juillet, le Second Empire et la Troisième République, ce fut en Afrique, en Indochine, dans le Pacifique Sud. Nul doute que ces conquêtes coloniales, au bilan contrasté, aient renforcé en leur temps le sentiment national et flatté les habitants de la métropole, comme ce fut aussi le cas au Royaume-Uni, en Espagne, au Portugal. À l'inverse, la désagrégation brutale de l'empire laissera aux Français un goût amer, comme une blessure dans une fierté longtemps proclamée (jusqu'à l'apothéose de l'Exposition coloniale de 1931). Intervenant après la défaite de 1940 – une autre blessure que la Résistance et la Libération ne sont pas entièrement parvenues à cicatriser – dans des conditions parfois dramatiques, comme en Algérie (1958-1962), elle a contribué à

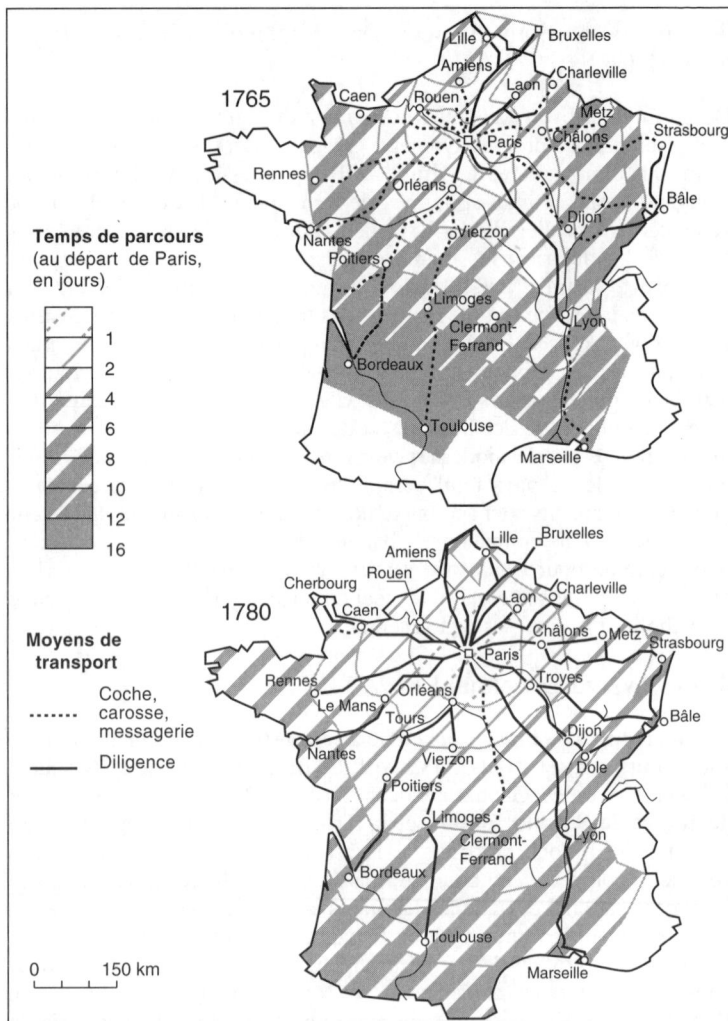

L'AMÉLIORATION DE LA DESSERTE DE LA FRANCE DEPUIS PARIS EN VOITURE PUBLIQUE À LA FIN DU XVIIIe SIÈCLE

Temps de parcours
(au départ de Paris,
en jours)

1
2
4
6
8
10
12
16

Moyens de transport

.... Coche, carosse, messagerie

——— Diligence

1765

Lille · Bruxelles · Amiens · Charleville · Caen · Rouen · Laon · Metz · Strasbourg · Paris · Châlons · Rennes · Orléans · Bâle · Dijon · Nantes · Vierzon · Poitiers · Limoges · Clermont-Ferrand · Lyon · Bordeaux · Toulouse · Marseille

1780

Lille · Bruxelles · Amiens · Rouen · Cherbourg · Charleville · Caen · Laon · Châlons · Metz · Strasbourg · Paris · Rennes · Orléans · Troyes · Le Mans · Tours · Bâle · Nantes · Vierzon · Dijon · Dole · Poitiers · Limoges · Clermont-Ferrand · Lyon · Bordeaux · Toulouse · Marseille

0   150 km

Les régions périphériques notées en blanc ne sont pas desservies par la poste.
Source : d'après G. Arbellot, *La Grande Mutation des routes de France
au milieu du XVIIIe siècle*, Annales ESC, 1973, EPHE.

semer le doute chez les Français qui pourtant souhaitaient majoritairement la décolonisation, au moins après 1960. Un pays comme le Japon a connu la même amputation en 1945, dans des circonstances bien plus dures encore, puisque la métropole était un champ de ruines. Il a retrouvé du dynamisme et des raisons d'espérer dans sa propre culture. Les Français, pas encore tout à fait.

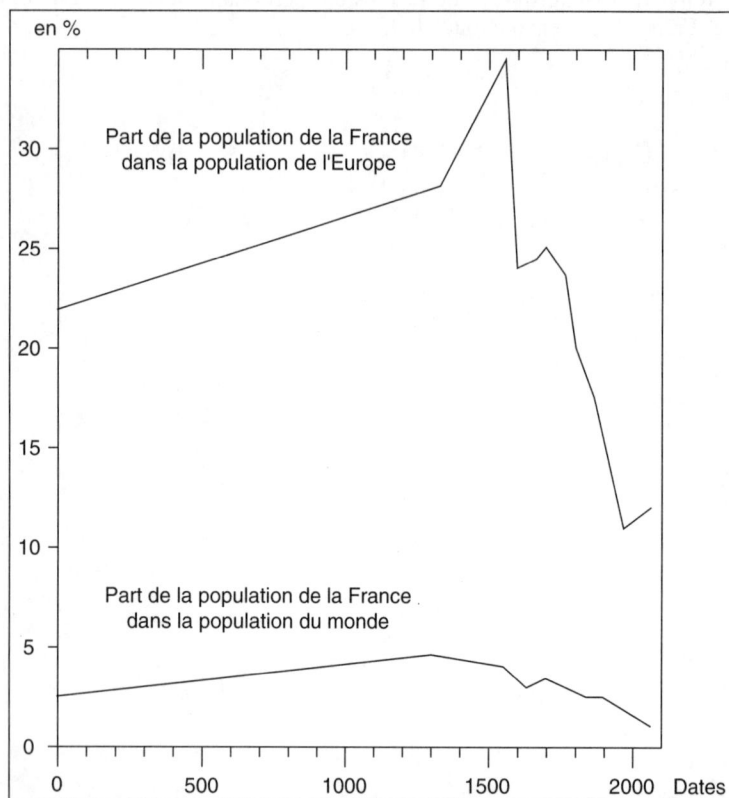

LA PART DES FRANÇAIS DANS LA POPULATION DE L'EUROPE ET DU MONDE

en %

Part de la population de la France dans la population de l'Europe

Part de la population de la France dans la population du monde

Dates

Source : Institut national des études démographiques.

2

Les habitants de la France
d'aujourd'hui

Les Français sont, au sens strict, ceux qui possèdent la nationalité française. Tous ne revendiquent pas cette identité comme un titre de fierté. Des indépendantistes régionaux existent en métropole ou dans les DOM-TOM. La loi-cadre de 1956 et des lois ultérieures, ainsi qu'un référendum en 1988 sur la Nouvelle-Calédonie, ont conféré aux TOM une assez grande autonomie, mais celle-ci est jugée insuffisante par les plus farouches militants. Par ailleurs, 3,6 millions d'étrangers vivent en France, dont certains souhaitent ardemment acquérir la nationalité française, par conviction ou sens de leur intérêt matériel. De nationalité française ou non, de jeune ou de vieille souche, ce sont tous les habitants de la France qui animent aujourd'hui ce pays et qui en constituent une population vieillissante (au moins en métropole), touchée par le chômage, largement urbanisée et conservant d'importantes nuances régionales de comportement.

1. Une population vieillissante

Avec 58 millions d'habitants en 1995, la France se situe au 4ᵉ rang européen et au 20ᵉ rang mondial. Elle comptait 20 millions d'habitants à l'époque de Louis XIV, soit à nouveau autant qu'au XIVᵉ siècle, et était alors le premier pays d'Europe par sa population – ainsi que par son rôle politique et économique – et le 4ᵉ de la planète (derrière la Chine, l'Inde, le Japon). Ce chiffre a presque constamment augmenté depuis deux siècles, mais beaucoup plus lentement que celui de tous les autres pays du monde.

Un tel phénomène est dû à une transition démographique d'un type original, au cours de laquelle mortalité et natalité ont baissé de conserve, sans jamais être très éloignées l'une de l'autre et sans l'habituelle phase de distorsion au cours de laquelle la natalité reste très

PYRAMIDE DES ÂGES DES FRANÇAIS

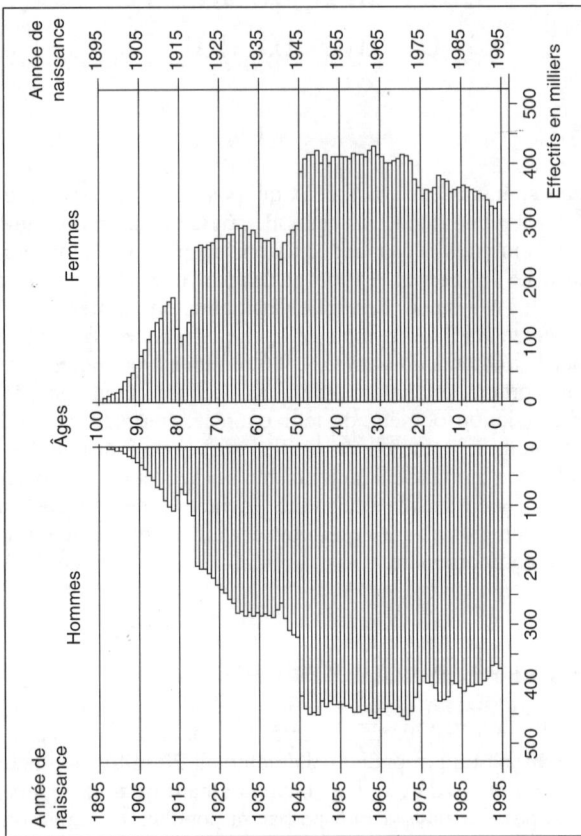

Répartition de la population totale au 1er janvier 1996, par âge et par sexe.

Source : INSEE.

élevée, alors que la mortalité baisse. Les Français ont dès le XVIIIe siècle, les premiers dans le monde, commencé à restreindre le nombre des naissances, ce qui s'explique sans doute par des facteurs culturels (« Lumières », déchristianisation, pré-féminisme des précieuses, etc.), beaucoup plus qu'économiques (D. Noin, 1995).

Le taux de fécondité est passé de 2,29 en 1973 à 1,64 en 1994 (1,55 sans les étrangers), passant à partir de 1974 sous le seuil de 2,1 qui assure le remplacement des générations. La désaffection vis-à-vis du mariage, la baisse en francs constants de l'aide aux familles, le développement du travail féminin et la libéralisation de la contraception, puis de l'avortement, peuvent contribuer à expliquer la poursuite du phénomène. Pourtant, la population continue de s'accroître. En effet, les femmes en âge de procréer sont encore proportionnellement nombreuses dans la population, alors qu'un creux relatif apparaît en haut de la pyramide des âges en raison du déficit des naissances lié à la Première Guerre mondiale. De plus, l'espérance de vie continue à s'accroître d'un trimestre par an, en moyenne. Elle est aujourd'hui de 81,9 ans chez les femmes et 73,8 ans chez les hommes. Enfin, malgré la réduction de l'immigration, le solde migratoire demeure positif (estimé à 45 000 par an).

Au total, la population comprise entre 20 et 64 ans demeure stabilisée depuis la Seconde Guerre mondiale autour de 59 %, mais les moins de 20 ans sont passés de 30 % à 26 % et les plus de 65 ans de 11 % à 15 %. L'accroissement de ce dernier chiffre est inévitable dans les années à venir, compte tenu de la pyramide des âges et du taux de mortalité.

Les conséquences d'un tel vieillissement sont difficiles à évaluer. Il est évident que le montant des retraites (au taux actuel) à verser aux plus de 60 ans va s'accroître. Compte tenu du chômage, mais aussi de l'allongement de la durée des études et de la vie, certains pensent que les cotisations devront augmenter de 50 % au moins dans le premier quart du XXIe siècle. Ceci ne posera guère de problème, en cas de reprise économique vigoureuse. Dans le cas contraire, la situation risque de devenir plus critique.

Mais il demeure un autre problème peu étudié jusqu'à maintenant : l'influence des jeunes sur l'optimisme et la capacité imaginative de la société et donc sur le dynamisme de l'économie. C'est une question que n'abordent jamais les conférences internationales de population. La situation française démontre, en tout cas, que la diminution du nombre des naissances n'a aucun effet réducteur sur le taux de chômage.

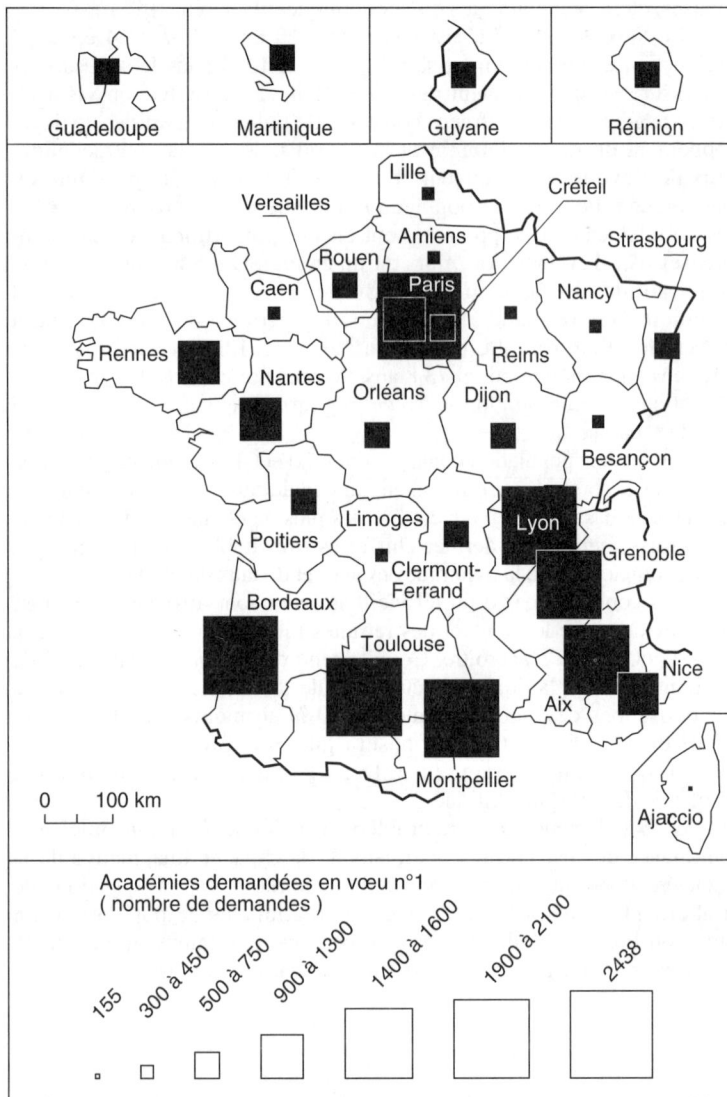

LES VŒUX D'AFFECTATION DES PROFESSEURS DE L'ENSEIGNEMENT SECONDAIRE (1993)

Guadeloupe · Martinique · Guyane · Réunion

Lille
Versailles
Créteil
Amiens
Strasbourg
Rouen
Caen
Paris
Nancy
Rennes
Reims
Nantes
Orléans
Dijon
Besançon
Poitiers
Limoges
Lyon
Grenoble
Clermont-Ferrand
Bordeaux
Toulouse
Nice
Aix
Montpellier
Ajaccio

0   100 km

Académies demandées en vœu n°1
(nombre de demandes)

155 · 300 à 450 · 500 à 750 · 900 à 1300 · 1400 à 1600 · 1900 à 2100 · 2438

Source : ministère de l'Éducation nationale (DEP).

36

2. Un pays peu densément peuplé

Conséquence de la modération de sa croissance démographique au cours des derniers siècles, la France, avec 105 habitants/km^2, est l'un des pays les moins densément peuplés d'Europe (200 en Italie, 240 en Grande-Bretagne, 250 en Allemagne, 330 en Belgique, 360 aux Pays-Bas). On n'y éprouve l'impression d'entassement qu'en Île-de-France, dans le Nord, dans la région lyonnaise, l'agglomération marseillaise et sur la Côte d'Azur. Partout ailleurs, même dans les régions urbanisées, l'espace est occupé de manière lâche. À l'intérieur des cœurs de villes, y compris Paris, subsistent des quartiers d'habitations individuelles entourées de jardins. Très peu de gratte-ciels se dressent dans le ciel des villes françaises. La Défense, à l'ouest de Paris, représente l'ensemble le plus important, avec une trentaine de tours ; viennent ensuite de plus petits groupes élevés dans les années 1960 et 1970 (quartier Italie, Front-de-Seine à Paris) ou des bâtiments isolés (tour Montparnasse à Paris, tour du Crédit Lyonnais à La Part-Dieu de Lyon). C'est peu de chose, par rapport à la plupart des villes d'Amérique du Nord, du Japon ou de Corée, à Londres, à Rio ou à São Paulo. De plus, la construction d'immeubles à grande hauteur est maintenant arrêtée, tant l'opinion les apprécie peu. La Grande Arche de La Défense, terminée en 1989, est le dernier geste d'une série limitée. La majorité des citadins conserve un penchant pour les maisons particulières ou les immeubles ne dépassant pas 6 ou 7 étages.

Hors des villes, les régions périurbaines ou rurales forment le tissu le plus lâche des pays d'Europe occidentale, Irlande exceptée. Les 10 régions situées à l'ouest d'une ligne Le Havre-Marseille ne réunissent que 36 % de la population sur plus de la moitié du territoire. C'est un avantage, au moins théorique, au regard de la pureté de l'air et des disponibilités en eau. Encore faudrait-il gérer plus habilement ce potentiel. Les touristes européens apprécient vivement la place disponible en France ; lorsqu'ils viennent du Benelux, d'Angleterre, d'Allemagne ou d'Italie du Nord, on le comprend aisément, tant ces régions sont transformées en banlieues – dont le paysage est, en contrepartie, souvent plus soigné qu'en France. L'espace libre et vert représente un potentiel touristique dont les Français n'ont pas toujours une conscience claire. Un effort sur le paysage et l'accueil permettrait de multiplier les ressources de l'espace rural. La desserte (voies de communication, services) de celui-ci, actuellement difficile, en serait grandement facilitée.

À l'échelle nationale, la France accuse un contraste de densités qui perdure depuis très longtemps. Au nord et à l'est d'une ligne Le Havre-Marseille se rencontrent les plus fortes densités et les plus grandes villes ; au sud et à l'ouest, les plus vastes régions rurales. En réalité, les choses ne sont pas si simples, car des départements comme la Meuse, la

Haute-Saône ou les Alpes-de-Haute-Provence, situés à l'est, sont parmi les plus vides de France, tandis que le littoral breton ou le Pays basque concentrent des densités supérieures à 100 habitants/km². L'évolution récente des densités de population laisse apparaître deux phénomènes qui se rencontrent aussi dans d'autres pays, aux États-Unis, par exemple : l'attirance pour le Midi (héliotropisme) et pour la mer (haliotropisme). Les communes côtières représentent moins de 5 % du territoire, mais regroupent plus du dixième de la population. La géographie des migrations de retraite et celle des vœux d'affectation des professeurs de l'enseignement secondaire demandant à changer d'académie illustrent parfaitement ces deux tendances (voir p. 36).

La France est restée attachée à une extrême division de l'espace en 36 000 communes dont beaucoup sont héritées des paroisses apparues vers le Xᵉ siècle. Aujourd'hui, cinq communes ne comptent plus aucun habitant permanent (parmi elles, des villages détruits pendant la Première Guerre mondiale dans la région de Verdun), mais possèdent néanmoins un maire résident secondaire. Vingt-cinq communes comptent de 1 à 9 habitants. Elles sont situées en moyenne montagne, au sud du Massif central ou des Alpes, dans le Jura, les Pyrénées orientales ou en Corse.

3. Un pays de citadins et de périurbains

L'attraction des industries et des services urbains a provoqué un exode rural croissant à partir du milieu du XIXᵉ siècle. De 5,5 millions d'habitants sous l'Empire, la population urbaine est passée à 42 millions en 1990, si l'on compte uniquement les habitants des communes de plus de 2 000 habitants, à 51 millions, avec ceux qui résident dans les Zones de Peuplement Industriel et Urbain proches des villes vers lesquelles ils migrent quotidiennement pour leur travail, soit 90 % de la population. Les aires résidentielles autour des villes se sont considérablement élargies, phénomène qui s'explique par la multiplication des automobiles et par le coût plus bas du logement en milieu rural.

C'est une évolution comparable à celle que l'on rencontre un peu partout dans le monde, mais qui n'est pas moins problématique. Elle crée des concentrations de populations difficiles à gérer (en matière de circulation, de construction et d'urbanisme, d'environnement) et des zones presque vides et mal desservies dans lesquelles vivent un grand nombre de personnes âgées. Dans le canton de Castillon-en-Couserans, dans l'Ariège, par exemple, la moitié de la population a plus de 60 ans.

Il faut relever quelques exceptions heureuses. Certaines régions rurales connaissent un léger accroissement de population. Ce sont celles qui disposent d'un bon réseau de villes moyennes et de bourgs (Pays de

Loire, Alsace), mais ce sont aussi certaines régions montagneuses (Jura méridional, Alpes et Préalpes dans leur ensemble – sauf le Diois et les Baronnies, Velay). Ces derniers cas s'expliquent par le développement de petites industries rurales performantes, du tourisme, parfois d'une agriculture ou d'un élevage de qualité. Il est vrai que les densités de population sont si faibles en ces régions accidentées et désertées depuis des décennies ou plus que la reprise qu'on y observe est loin d'être en mesure d'inverser la tendance. Néanmoins, la démonstration est faite que la polarisation n'est pas une fatalité.

Il faut d'ailleurs reconnaître que la vie en ville a ses attraits. L'exode rural ne s'explique pas seulement par l'emploi, mais aussi par le confort, les activités culturelles et les facilités qu'offrent les villes. On ne saurait promouvoir un retour à la terre qui obligerait à vivre dans les conditions de l'ère pré-industrielle. En revanche, les campagnes situées aux alentours des villes offrent les avantages des deux espaces de vie, sans les inconvénients des cités-dortoirs (paysages sans attrait, regroupement de populations démunies, insécurité, vie culturelle restreinte).

L'urbanisation et la périurbanisation fortement majoritaire de la population résultent, bien sûr, de l'évolution des structures de la population active. De 20 % en 1962, l'emploi agricole est tombé à 6 % en 1990. Au cours de la même période, l'emploi dans l'industrie, le bâtiment et les travaux publics est passé de 38 à 30 %, tandis que le secteur des services a grimpé de 42 à 64 %.

4. La plaie durable du chômage

Avec 3,3 millions de chômeurs en 1995, soit 11,5 % de la population active, la France ne parvient pas à échapper à ce fléau qui mine sa vie économique et sociale. La politique d'indemnisation du chômage et de l'incitation au retrait d'activité coûte plus de 150 milliards de francs par an. À l'exception des fonctionnaires, la menace pèse sur tous les actifs et tous les jeunes en formation. Ce problème occupe depuis un quart de siècle le cœur de la vie politique. Les gouvernements de toutes tendances, conseillés par d'éminents théoriciens de l'économie, ont tous échoué dans leurs tentatives pour trouver des solutions. Les conditions de la relance font l'objet de débats passionnés et la marge de manœuvre de l'État est désormais très restreinte, dans la mesure où son endettement atteint 40 % du PIB et où la France est l'un des pays au monde dont le taux de prélèvements obligatoires est le plus élevé (43,6 %), derrière les pays scandinaves qui approchent les 50 %, mais loin devant le Royaume-Uni (35,2 %), les États-Unis ou le Japon (tous deux à 29,4 %).

Paradoxalement, malgré le fort taux de chômage, le nombre des actifs augmente encore avec régularité, surtout en raison de l'accroissement

LE TAUX DE CHÔMAGE PAR DÉPARTEMENT

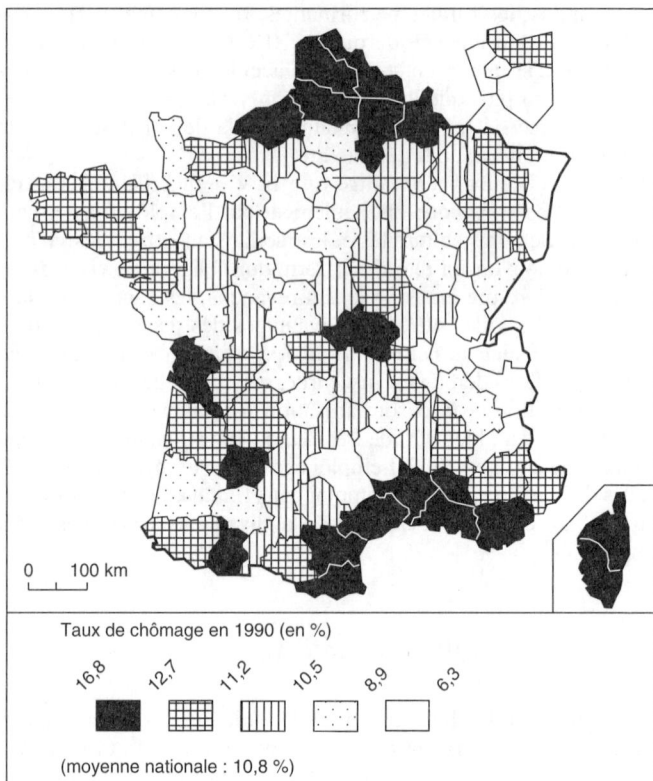

Taux de chômage en 1990 (en %)

16,8   12,7   11,2   10,5   8,9   6,3

(moyenne nationale : 10,8 %)

Depuis le dernier recensement, le chômage a augmenté d'environ 2 %.

Source : recensement général de la population, 1990.

de l'emploi féminin. Le nombre de femmes actives a augmenté de 3,7 millions de 1962 à 1990, tandis que celui des hommes a progressé de 800 000. Les femmes sont plus touchées par le chômage que les hommes, ce qui explique que l'emploi féminin n'augmente que de 0,6 % par an, contre 0,9 % pour l'ensemble de la population active.

Géographiquement, le Nord et le Midi sont nettement plus touchés par le chômage que le Bassin parisien et l'Est, de l'Alsace aux Alpes. Les plus faibles taux sont observés là où l'activité économique est très diversifiée, mais bien d'autres facteurs interviennent : le niveau de formation de la main-d'œuvre, ainsi que les mentalités, plus difficiles à mesurer (rigueur, discipline). Ce sont des considérations de ce type qui ont conduit plusieurs grandes entreprises japonaises à choisir l'Alsace pour implanter leurs usines européennes. De plus, la Haute-Savoie et le Haut-Rhin bénéficient de la proximité du marché de l'emploi suisse. Celui-ci absorbe plus de 10 % de la main-d'œuvre de ces départements.

5. L'intégration des étrangers devenue problématique

Le solde migratoire français est depuis très longtemps constamment positif. La France étant un pays d'agriculture relativement prospère, ses habitants ont rarement désiré la quitter volontairement. Il y eut le départ des colons d'Amérique du Nord au XVIIe siècle, puis celui des Huguenots, non volontaires, après la révocation de l'édit de Nantes en 1685 (260 000), enfin celui des colons d'Algérie au XIXe siècle : voilà pour les contingents importants. Aujourd'hui, les Français de l'étranger ne sont que 1,7 million, soit 2,7 % de la population française ; ils sont principalement installés en Amérique du Nord (250 000 aux États-Unis) et dans les différents pays de l'Union européenne. Si l'on compare avec le Japon, dont les habitants eux non plus n'émigrent pas volontiers, on note que 20 000 Japonais environ vivent en France, alors qu'on ne compte que 5 000 Français vivant au Japon, ce qui, ramené à la population des deux pays, représente la moitié. Pourtant, en Extrême-Orient, comme ailleurs, il existe sans aucun doute de nombreuses possibilités d'emploi pour des Français imaginatifs et compétents.

À l'inverse, la présence de populations étrangères en France est un phénomène ancien. Depuis la fin des grandes invasions (Xe siècle) jusqu'à la révolution industrielle, elle s'était limitée aux milieux de la noblesse et du négoce. L'immigration s'est accélérée au XIXe siècle, sous l'effet de multiples causes. L'empire colonial, la tradition d'accueil des réfugiés politiques, l'agrément relatif de la vie en France, les besoins en main-d'œuvre liés au malthusianisme et à la croissance

LES ÉTRANGERS EN FRANCE

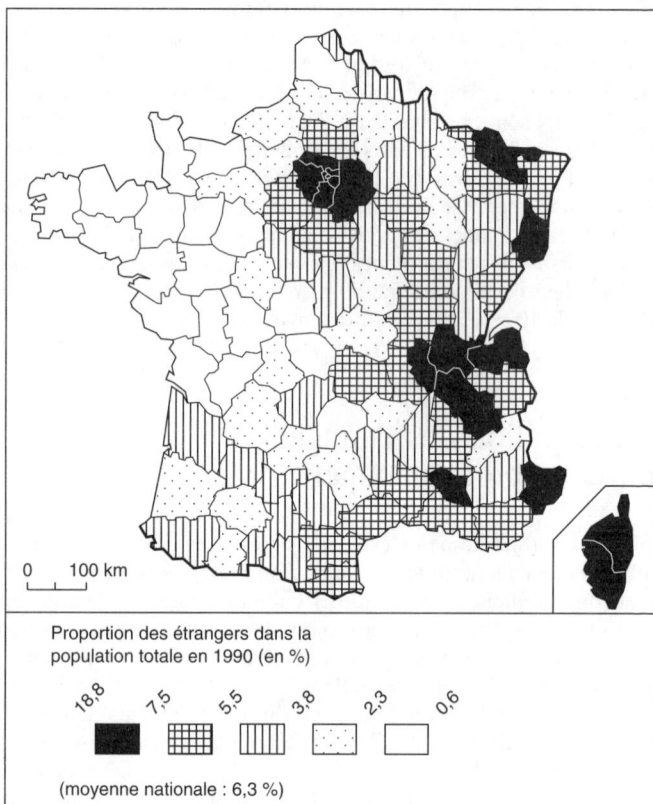

Proportion des étrangers dans la
population totale en 1990 (en %)

18,8   7,5   5,5   3,8   2,3   0,6

(moyenne nationale : 6,3 %)

Source : recensement général de la population, 1990.

économique de la France font qu'Italiens, Polonais, Arméniens, Russes, Maghrébins à partir de la Première Guerre mondiale, puis républicains espagnols, Portugais, Africains des pays situés au sud du Sahara, Indochinois, Chinois, Chiliens, Indo-Pakistanais... sont venus par vagues successives, chassés de chez eux par la famine, le chômage, la guerre, la révolution, les pogroms, la dictature. Actuellement 3,6 millions d'étrangers vivent en France, dont 742 000 sont nés en France. 1,8 million d'étrangers ont été naturalisés français, soit depuis leur naissance (500 000), soit depuis leur arrivée (1,3 million).

Jusqu'aux années 1970, la présence étrangère ne posait guère de problème – sauf en période de crise (entre 1936 et 1939, par exemple). Les Français de souche plus ou moins ancienne manifestaient un peu de condescendance, voire de mépris, vis-à-vis des nouveaux arrivants, mais ceux-ci parvenaient généralement en une génération à s'intégrer, quitte pour les enfants à jouer des poings de temps à autre pour se faire respecter.

Avec la récente crise économique a décliné chez les Français la capacité à assimiler l'étranger. Le problème s'est accentué du fait que les immigrés venus du nord ou du sud du Sahara sont gravement touchés par le chômage et qu'ils se sont concentrés là où les loyers étaient les moins chers, à savoir les grands ensembles construits dans les années 1960 et 1970, aujourd'hui boudés par les Français.

La plupart d'entre eux font partie aujourd'hui des plus pauvres habitants de la France. Se sentant peu appréciés et ne pouvant guère envisager de retourner dans leur pays d'origine en proie à la misère et, souvent, à la dictature, certains étrangers se tournent vers le fondamentalisme religieux, provoquant des réactions de rejet. L'affaire du tchador porté à l'école par certaines élèves musulmanes en est un exemple. Dans certaines banlieues défavorisées, l'illettrisme atteint des niveaux records ; et cela ralentit l'assimilation par l'école.

Certains étrangers font partie de cette frange sociale marginalisée, dont le malaise se traduit par un certain nombre de phénomènes (destructions d'équipements publics, de commerces en banlieue ou en centre-ville, consommation et commerce de drogue, agressions, réactions d'autodéfense...). Ils constituent 29,1 % de la population carcérale – 44 % en Île-de-France. C'est de cette situation explosive que se nourrit le discours du Front national depuis les années 1980. Les résultats obtenus par ce parti aux consultations électorales sont particulièrement élevés dans les banlieues formées de grands ensembles et dans les villes du Midi à forte proportion d'immigrés, mais aussi de rapatriés venus d'Afrique du Nord au moment de la décolonisation.

Formidable creuset pendant des siècles, la France semble avoir hélas ! perdu le mode d'emploi de la machine à intégrer, encore plus à assimiler. À supposer que l'État parvienne à enrayer l'émigration clandestine ou illégale – ce qui est peu probable, compte tenu de la situation internationale des migrations –, il restera à réussir l'assimilation des

FRANCITÉ ET VALEURS ÉTRANGÈRES

Pour devenir pleinement français, l'étranger doit se dépouiller d'une partie de lui-même lorsqu'il véhicule des traits juridiques ou sociaux incompatibles avec la société française. [...]

Si se répand ce que Maxime Rodinson baptisait dans le *Monde* du 1er décembre 1989 « la peste communautaire », la France deviendra aussi invivable que n'importe quelle entité multiculturaliste et chacun en pâtira ; les Français de souche et aussi les néo-Français organisés en groupes distincts du corps national et conservant des usages ayant leur logique sous d'autres cieux mais qui, ici, casseront la baraque : loi du talion, excision, prohibition de certains mariages, répudiation, héritage double pour les hommes, calendrier scolaire particulier, anathémisation ou sacralisation de certains animaux, etc.

De l'Inde à l'Irlande, de la Yougoslavie aux États-Unis – oui aux États-Unis, faux creuset et vraie juxtaposition de ghettos – partout se délitent les constructions pluriethniques. Certes l'idéal résiderait dans une « civilisation de l'universel » à la Senghor, où chaque peuple apporterait ses dons. Mais, comme l'a démontré Lévi-Strauss, ce qui l'emporte, c'est le désir de chaque civilisation « de s'opposer à celles qui l'environnent, de se distinguer d'elles ». D'où d'impa-rables conflits lorsque différentes cultures occupent le même espace. Plutôt que de s'épuiser à forcer la nature humaine, persuadons les étrangers candidats à la naturalisation que, s'ils peuvent évidemment conserver foi et interdits privés, ils ne peuvent, sans fissurer la France, former une « communauté » contrevenant aux lois et coutumes de l'Hexagone. Le principe émis en 1789 pour israélites et protestants reste un des fondements de la solidité française : « Tout leur refuser comme nation, tout leur accorder comme individu ! »

[...] Plusieurs valeurs appartenant, par exemple, à l'arabité pourraient venir combler certains vides actuels du comportement français : optimisme et donc goût de procréer, solidarité familiale et donc non-abandon des vieux, patience face à l'adversité, philosophie devant la mort, etc. Les Français, de leur côté, ainsi que le remarquait notre confrère algérien Slimane Zeghidour, doivent cesser de s'autodénigrer : « Il est risible que le peuple dont les inventions morales ou techniques constituent le fond de la vie moderne : droits humains, photographie, cinéma, avion, carte à puce, etc. ne soit plus fier de lui. Arrêtez ce méaculpisme si vous voulez donner envie aux immigrés de se franciser ! »

Source : J.-P. Péroncel-Hugoz, *Arabies,* n° 77, mai 1993.

LA QUASI-TOTALITÉ DES PARENTS PARLENT FRANÇAIS À LEURS ENFANTS

L'unification linguistique de la France se poursuit. Le « pouvoir d'absorption du français » est tel qu'il suffit souvent d'une génération pour que les immigrés délaissent leur langue d'origine pour le français, selon une étude de l'Institut national d'études démographiques (INED) publiée dans *Populations et Sociétés*. En une génération, au sein des familles, l'espagnol a perdu 80 % de locuteurs, le portugais et le vietnamien 55 %, l'arabe 50 %, les langues d'Afrique noire 75 %.

Dans 95 % des familles interrogées par l'INSEE et l'INED en 1992, c'est en français que les parents s'adressent à leurs enfants. Globalement, les deux tiers des parents ont abandonné la langue qu'on leur parlait dans l'enfance au profit du français. Ainsi, l'arabe a été « délaissé par la moitié des parents en une génération ». Il reste la seconde langue parlée en France entre parents et enfants, mais dans moins de 2 % des familles. Le portugais n'est employé que dans 1 % des familles. En troisième position vient une langue régionale, l'alsacien, premier dialecte par son nombre de locuteurs (0,6 % du total national) et qui connaît une perte limitée (40 % des familles le parlaient il y a une génération, 25 % aujourd'hui).

Source : *Libération,* 17 décembre 1993.

L'IDENTITÉ FRANÇAISE EXISTE-T-ELLE ?

Quand on parle d'« identité française », il est évident que nous ne faisons pas référence à une communauté archaïque et confinée, que le manque d'échanges et de mélanges avec le reste du monde et la pratique de coutumes élémentaires de survie ont maintenu dans le domaine de la magie tribale, le seul domaine où le « social » est une réalité historique et non un piège idéologique. Non, nous faisons référence à une société hautement civilisée et moderne dont la langue, les traditions, les institutions, les idées, les rites, les croyances et les pratiques ont gravé une personnalité collective, une sensibilité, une idiosyncrasie dont chaque Français est porteur, une sorte de substance métaphysique qui en fait tous des frères de manière exclusive et qui détient de façon subtile sur leurs actions et leurs rêves, leurs grandes entreprises ou leurs petites lubies – tout ce qui en émane est frappé du tampon indélébile de l'« identité française ».

Source : Mario Vargas Llosa, © *El País,* in *Le Figaro,* 10 août 1995.

ALIMENTATION : LES RÉGIONS RÉSISTENT

Les cultures régionales résistent encore à l'uniformisation des goûts et des pratiques culinaires. Mais elles pourraient être menacées à long terme, estime le Centre de recherche pour l'étude et l'observation des conditions de vie (CREDOC).

La carte élaborée par le CREDOC distingue dix régions alimentaires, qui ne coïncident pas vraiment avec les régions administratives françaises.

Les Franciliens consomment plus de vins de qualité, ont une prédilection pour les fruits exotiques, les agrumes, mais aussi le riz (16,6 kg par ménage et par an contre 8,6 dans le reste de la France). Sans oublier les champignons de Paris... Hors de leur domicile, ils sont également grands consommateurs de sandwiches (115 grammes par semaine contre 58 grammes en moyenne).

Pas de surprise pour le Sud-Ouest où la consommation est conforme à l'image gastronomique de la région : volaille, gibier, lapins sont des valeurs sûres, comme le pain et le vin de table.

Le Grand Ouest se distingue par une forte consommation de fruits de mer et de poissons. Le beurre (21 kg par an et par ménage contre 12 kg pour le reste de la France), le cidre (13 litres contre 3), le lait sont également très appréciés.

Dans la région Nord-Picardie, on consomme deux fois plus de pommes de terre (164 kg contre 74 kg) et de bière (55 litres contre 25) que dans le reste de l'Hexagone.

Le Nord-Est a une prédilection pour la charcuterie et la bière. Mais aussi pour les prunes et les fromages à pâte molle. La forte consommation de farine (12 kg contre 7) reflète la pratique répandue de la pâtisserie faite à la maison.

La région centrale (Centre, Bourgogne, Aube) offre peu de spécificité alimentaire et son mode de consommation est proche de la moyenne nationale sauf pour quelques produits (gibier, fromages à pâte molle ou à pâte fraîche). Fait notable : l'absence de préférence marquée pour le beurre ou l'huile, situation unique en France.

La région Jura-Rhône-Savoie se distingue par sa prédilection pour les fruits frais (117 kg contre 86) et les fromages (52 kg contre 41), notamment ceux du terroir (gruyère, emmental et comté).

Le Massif central est un gros consommateur de viande de veau (11 kg contre 7 kg), de poires et de saucisson. Les vins de qualité courante (59 litres par an contre 40) y sont également très prisés.

Enfin, la région Vallée du Rhône-Méditerranée-Alpes, grande utilisatrice d'huiles notamment d'olive, est aussi friande d'agrumes, de bananes, de pommes et de fruits secs.

Source : *Le Figaro,* 20 novembre 1995.

étrangers déjà sur place. La situation est préoccupante dès lors que certains d'entre eux s'organisent en communautés ne souhaitant pas s'intégrer, conservant tout ou partie des coutumes de leur pays d'origine.

À l'évidence, cette crise est aussi une crise du civisme. À quoi bon faire l'effort de s'agréger à une société dans laquelle l'individualisme frileux tient lieu de personnalité ? Pourquoi tendre la main à celui qui se détourne ? Ainsi pourrait-on résumer en la caricaturant une situation d'incompréhension de plus en plus critique, que le chômage et la montée des fondamentalismes ne font qu'aggraver.

L'Île-de-France et les grandes villes, les vieilles régions industrielles en crise et, d'une manière plus générale, l'Est du pays sont davantage concernés par la présence étrangère. La tâche des ministres de la Ville, de l'Intégration, de l'Intérieur ou des Affaires sociales est immense et trop vaguement définie. Tout seul, l'État ne semble pas en mesure de résoudre un problème devenu aigu et qu'il faut traiter de manière éclatée, dans le respect des personnes, avec le moins de discours possible et en évitant l'inefficace recours à la bonne ou à la mauvaise conscience qui irrite plus qu'il ne guérit.

L'écoute des acteurs locaux, la prise en compte des situations réelles induisent une grande variété de solutions sur cette question comme sur bien d'autres. Il n'y a pas deux banlieues « sensibles » identiques. Cette attention à la diversité est l'un des réflexes du géographe. Le décideur politique, l'aménageur gagnent toujours à s'en inspirer. D'une manière générale, la population qui vit en France présente quelques caractères communs, mais ceux-ci recouvrent une profonde hétérogénéité culturelle. On ne gagne rien à en faire fi.

6. La persistance d'une géographie culturelle complexe

La société française paraît s'être homogénéisée au fil des siècles, de par la volonté de l'État. Et pourtant, comme dans beaucoup de pays européens, d'importantes différences matérielles (paysages) et de comportement subsistent ou se recréent d'une région à l'autre et, parfois, d'un micro-territoire à l'autre. Le mariage, le divorce, la natalité, le niveau d'études se répartissent très inégalement sur le territoire. La partition nord-sud date au moins de l'Antiquité tardive et ne partage plus les pays de droit coutumier des pays de droit écrit, l'usage courant des langues d'oïl de celui des langues d'oc. En revanche, les toits du nord conservent une pente forte, même sur les maisons récentes, tandis que ceux du sud sont majoritairement en pente faible et recouverts de tuiles canal ; le beurre est plus consommé au nord et l'huile au sud ; les anciens conservent leurs accents bien marqués, qui sous l'effet du langage télévisuel pointu, s'entendent un peu moins chez les jeunes.

La question du sentiment d'appartenance est d'une grande complexité. Elle est importante, car elle fonde la territorialité. Les Français revendiquent souvent plusieurs identités emboîtées, lesquelles reposent sur de vrais héritages ou, plus généralement, sur des reconstructions fondées sur une interprétation libre de l'histoire et de la tradition. Ainsi, on est du Mont-Saint-Michel, avant d'être normand ou français ; on est basque, breton ou martiniquais, avant d'être français. En revanche, on est français ou « parisien » avant d'être d'Aubervilliers ou de la Seine-Saint-Denis ; « de Lyon », plutôt que de Vénissieux ou de Villeurbanne ; d'Avignon, Aix ou Marseille plutôt que provençal ; corse lorsque l'on s'adresse à des non-Corses, mais de Balagne ou de Castagniccia et, surtout, de tel village et de tel clan lorsqu'on s'adresse à d'autres Corses. Comme l'écrivaient Hervé Le Bras et Emmanuel Todd dans *L'Invention de la France* (1981) : « La France n'est pas une nation comme les autres ; elle n'est pas un peuple mais cent qui ont décidé de vivre ensemble. Or, du nord au sud, de l'est à l'ouest de l'Hexagone les mœurs varient aujourd'hui comme en 1750. Chacun des pays de France a sa façon de naître, de vivre, de mourir. »

Ces enracinements locaux et régionaux dans lesquels semblent se fondre des hommes et des femmes de tous âges et tous milieux socioprofessionnels se révèlent particulièrement vivants à l'occasion de fêtes ou d'autres manifestations culturelles : carnaval de Dunkerque ou de Nice, braderie de Lille, fête du 8 mai à Orléans, feria de Pentecôte à Nîmes, Printemps de Bourges, grands matchs de football ou de rugby, etc. Ces grandes occasions compensent une certaine désaffection des Français à l'égard des structures sociales verticales (famille, quartier, entreprise, club, parti...) et leur préférence pour les structures horizontales fonctionnant par âge, par corporation, par niveau social.

3

L'invention des milieux

Inventer, c'est créer, mais c'est aussi découvrir une réalité cachée. Le milieu, au sens géographique du terme, c'est la nature plus ou moins bien apprivoisée, la civilisation à l'œuvre dans les quatre éléments et dans le foisonnement de la vie sauvage avec lesquels elle compose ; il inclut aussi la représentation que les hommes se font de ce tout complexe. Du fait de sa latitude, de l'étagement de ses altitudes, de son histoire, la France résume les différents milieux européens, ce qui a souvent fait conclure abusivement que sa caractéristique est la variété (Michelet, Braudel). Il est vrai que ses plateaux limoneux du nord s'apparentent au bassin de Londres et à une partie de la grande plaine d'Allemagne. L'Ouest normand et armoricain partage ses caractéristiques avec les Cornouailles, le Pays de Galles et l'Irlande. Il existe des points communs entre le Massif central et le Nord-Ouest de l'Espagne, entre le Languedoc et le littoral catalan, la Provence-Côte d'Azur et l'Italie du nord-ouest, la Corse et la Sardaigne. Les régions orientales sont toutes frontalières et possèdent leur miroir plus ou moins déformé au-delà des crêtes alpines et jurassiennes ou du Rhin. Seul le Val-de-Loire, région la plus éloignée d'une frontière, n'a guère d'équivalent à l'étranger. Il a longtemps été considéré comme la quintessence de la France, son berceau et son conservatoire linguistique, son jardin et son archétype paysager, son éden inspirateur du poète. Il doit cette réputation et cette hospitalité à son climat qu'épargne tout excès, à son élection par les rois et à l'herculéen travail de maîtrise de l'un des fleuves les plus fantasques du continent. Ce sont les turcies ou levées qui ont en effet permis la mise en valeur des terres du fond du Val à partir du XIIᵉ siècle.

Le mot variété s'impose donc à propos des milieux français, mais pas plus qu'ailleurs. Il est intéressant de remarquer que beaucoup de Français, y compris des savants, y croient fermement et que les guides touristiques français ou étrangers se font l'écho de cette illusion. Le même discours est tenu à propos de la cuisine, comme si tout ce qui touche à la culture française ne pouvait que foisonner. N'y a-t-il pas là une réaction inconsciente au jacobinisme politique et culturel, aux tentatives d'uniformisation qui se sont multipliées depuis la révolution industrielle et surtout après 1945 ?

LES MILIEUX FRANÇAIS

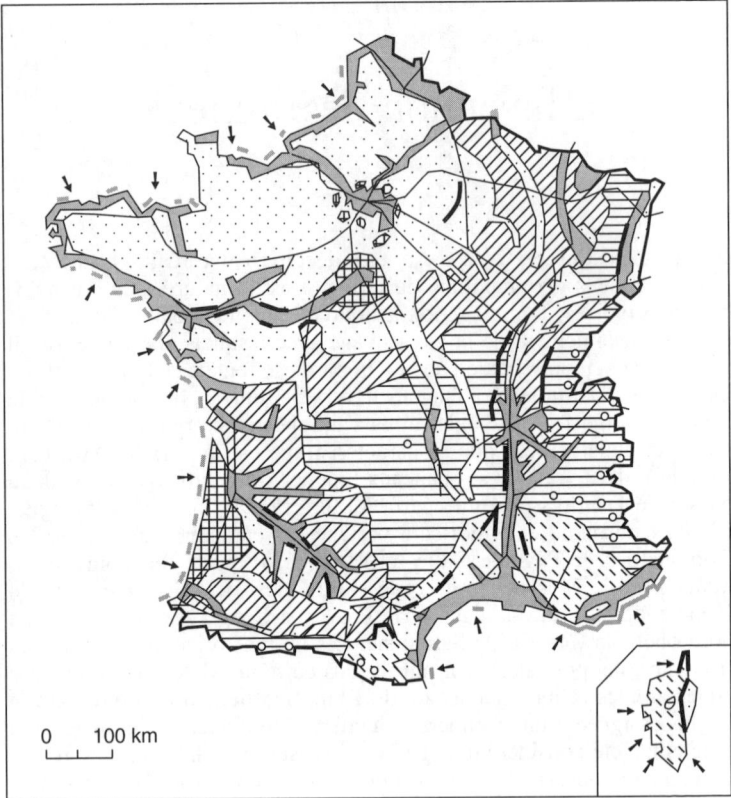

Source : d'après Gérard Hugonie et Yvette Veyret, *La France : milieux
et environnement*, Paris, © La Documentation française, 1996.

Milieux urbains et périurbains

Espace très marqué par l'urbanisation. Risques de pollution

Grand axe de circulation. Problèmes d'insertion dans les paysages et de pollution

Milieux à forte concentration touristique

o　Stations de sport d'hiver

Urbanisation littorale continue. "Mur de béton"; concurrence pour l'espace et l'eau

− −　Urbanisation littorale discontinue

↗　Erosion littorale marquée

Milieux liés à l'agriculture et à l'élevage productivistes

Grande culture avec usage intensif des machines, des engrais. Irrigation dans le Midi et dans le Nord, pour certaines cultures (maïs). Elevage hors-sol. Risques d'érosion des sols, innondations dans les vallées, pollution des nappes

Vignobles de côteaux (érosion marquée)

Milieux en déprise et milieux forestiers

Polyculture et bois des plateaux et des collines

Prairies d'élevage et forêts des montagnes humides

Grande forêt de plaine

Maquis et garrigue (risques d'incendies)

LA PERCEPTION SOCIALE DU MARAIS POITEVIN

L'homme qui tendait à coloniser les espaces agricoles pendant le dernier millénaire pour augmenter sa production, tend aujourd'hui à accroître plus les rendements unitaires que les superficies cultivées. Non sans liaison avec cette situation économique, il ne perçoit plus les vasières littorales comme l'objet de la convoitise des agriculteurs, mais comme des lieux naturels exceptionnels dont la richesse en faune et l'originalité de la flore sont à sauvegarder. Ses connaissances sur les chaînes alimentaires des milieux naturels lui ont fait découvrir l'intérêt de la très haute productivité des vasières pour l'équilibre biologique des eaux littorales. Ces espaces qu'il fallait conquérir à tout prix jusque vers 1965 apparaissent aujourd'hui comme des espaces qu'il faut conserver absolument à l'état de nature. C'est là un renversement, un bouleversement sans précédent de la perception sociale des vasières littorales.

Cette nouvelle approche n'est pas particulière au Marais poitevin. On la retrouve aux Pays-Bas, où le grand projet d'assèchement de la mer des Wadden a dû être abandonné. Il en va de même en Zélande, où le plan Delta prévoyait originellement la fermeture de l'Escaut oriental et sa transformation en lac d'eau douce, et où l'on accepte de consacrer des crédits beaucoup plus élevés pour renforcer les digues de ses rives et créer un barrage mobile qui autorise la pénétration de la marée. En France l'on vit ainsi, pour la première fois, un homme politique ne pas poser la première pierre d'un édifice, mais en ôter une. Je fais ici allusion au geste du président François Mitterrand qui ôta solennellement, le 24 juin 1983, une première pierre de la digue de la Roche Torin, digue qui devait joindre la Roche Torin au Mont-Saint-Michel et permettre ainsi la conquête de nouveaux polders dans la baie du Mont-Saint-Michel en protégeant les polders déjà existants des dangers auxquels les divagations de la Sée et de la Sélune les exposaient. Cette digue, entreprise au XIXe siècle n'avait jamais été achevée. On vient d'en détruire la partie qui avait été construite et qui, tout en protégeant les polders riverains, favorisait aussi le colmatage dans les environs du Mont-Saint-Michel.

Ainsi avons-nous assisté à un revirement de notre culture à l'égard de ces alluvions littorales. Anciennement lieux de répulsion et sites malsains, que nos ancêtres s'étaient employés à coloniser et à transformer, les vasières sont devenues le symbole de la récréation pour la chasse, de la conservation de la nature et aussi de la productivité biologique. Telles quelles, elles apparaissent désormais comme une source de richesses pour l'homme.

Source : Fernand Verger, « Le retournement récent de la perception sociale des conquêtes sur la mer dans le Marais poitevin », *111e Congrès national des Sociétés savantes*, Poitiers, 1986, *Histoire des sciences,* p. 187-192.

1. Le sentiment français de la nature

Du point de vue de leur attitude face à la nature, les Français se sont longtemps comportés comme des méditerranéens, héritiers des conceptions judéo-chrétiennes, et plus largement méditerranéennes, selon lesquelles l'homme est le couronnement d'une création à laquelle il commande. La vision animiste, d'origine celtique et germanique, d'une nature sacralisée qui doit être crainte et respectée, n'a survécu que dans certains rites religieux tolérés et récupérés par le christianisme (cultes de sources, de pierres, de montagnes, d'arbres), d'origine probablement gauloise ou plus ancienne, tout comme le culte des vierges noires, « descendantes » des déesses-mères.

La méfiance vis-à-vis du sauvage triomphe au XVIIᵉ siècle avec la densification plus forte de l'occupation de l'espace, les derniers défrichements, d'importants assèchements de zones humides, l'art des jardins à la française, l'amour de la régularité et de la symétrie en architecture et en urbanisme. Elle s'appuie sur des conceptions théologiques, philosophiques et politiques. À propos du paysage idéal de Versailles, Saint-Simon parle de « l'orgueilleux plaisir de forcer la nature ». Descartes vante les mérites de l'ordre géométrique. Malebranche n'hésite pas à écrire dans ses *Méditations chrétiennes et métaphysiques* (1683) : « Il est vrai que le monde visible serait plus parfait si les terres et les mers faisaient des figures plus justes ; si étant plus petit, il pouvait entretenir autant d'hommes ; si les pluies étaient plus régulières et plus fécondes ; en un mot s'il n'y avait point tant de monstres et de désordres. Mais Dieu voulait nous apprendre que c'est le monde futur qui sera proprement son ouvrage, ou objet de sa complaisance, et le sujet de sa gloire. »

Avec les Lumières, les conceptions venues de l'Europe réformée gagnent la France. Jean-Jacques Rousseau vante les beautés de la nature laissée en dehors du vouloir humain. L'élite découvre le plaisir de gravir les montagnes escarpées, en frissonnant de plaisir devant le danger. Elle se délecte du spectacle des flots marins en furie, attirée par « le territoire du vide » (Alain Corbin). De là naît le tourisme fondé sur le dépaysement et la contemplation. Les jardins anglo-chinois à la mode se courbent et s'ombragent autour de leurs fabriques, imitant les forêts vierges ou, de manière plus torturée, le retour à la « nature » des vestiges ruinés de la civilisation : temples gréco-romains, pyramides, chapelles gothiques. C'est dans cette métaphore paysagère de la fin d'un monde que prend racine le sentiment, aujourd'hui très répandu, d'un « contrat » à passer entre une « humanité » profiteuse et irréfléchie et une « nature » bonne, fragile et menacée (Michel Serres).

En réalité, il n'est de bon milieu que peu ou prou aménagé pour le bien-être des hommes. Aussi savants soient-ils, les aménagements et les prévisions ne sauraient éliminer tout risque de catastrophe. La plupart des drames sont toutefois dus à des imprudences.

LA « DÉCOUVERTE » DU MASSIF CENTRAL

Jusqu'au milieu du XIXᵉ siècle, les descriptions géographiques du centre-sud de la France ne distinguent que deux ensembles de reliefs remarquables, les monts d'Auvergne et les Cévennes.

Puis les travaux préalables à l'élaboration de la carte géologique de la France, synthétisés par Armand Dufrenoy et Élie de Beaumont en 1841 et 1848, montrent qu'il existe un noyau de roches cristallines dans cette partie du territoire et que les sommets d'Auvergne et des Cévennes n'en sont que les reliefs les plus marqués. Pourtant, la plupart des ouvrages, rédigés entre 1845 et 1875, continuent d'ignorer cette nouvelle entité. Puis, la généralisation de l'enseignement de la géographie à l'école contribue à la banalisation de l'usage des atlas de géographie et des cartes murales de la France (celles de Levasseur et Hausen, 1874, notamment) qui donnent une grande importance à ce massif ou « plateau central » comme il convient de l'appeler alors. Par ce biais, cette nouvelle représentation géographique de la France est rapidement adoptée par les Français ; géographes, économistes, historiens conviennent qu'il existe bien là une entité qui, bien que découverte par les géologues, s'avère également pertinente pour leur discipline.

Des images fortes sont associées au massif « château d'eau », « pôle répulsif » de la France et sont largement adoptées par l'opinion, ce qui montre à quel point ce nouveau massif, ce petit nouveau monde, est accepté par les nouvelles structures de l'espace dont se dote l'imaginaire national. On voit même se constituer à Paris des « associations d'émigrés du Massif central ».

Le Massif central matérialise à merveille quelques idées puissantes autour desquelles l'idée de nation va se renforcer : pôle de tradition rurale, point de divergence qui irriguent en eau et en hommes le territoire national.

Source : B. Debarbieux, *Sciences humaines,* hors-série, n° 1, février 1993.

2. Reconnaissance et connaissance des grands milieux

Comme tous les habitants de la Terre, les Français ont mis du temps à se fabriquer un savoir géographique sur leur pays. Leurs horizons se sont longtemps limités à ceux de leur vie quotidienne et de leurs déplacements habituels dans un rayon de quelques dizaines de kilomètres. Il y a quelques décennies encore, certains Parisiens nés sur une rive n'avaient même jamais franchi la Seine ! De taille comparable au Royaume-Uni, à l'Allemagne, à l'Italie et à l'Espagne, la France est le seul pays à s'ouvrir sur trois fenêtres maritimes : Manche-mer du Nord, Atlantique et Méditerranée. Les habitants de l'isthme européen en ont profité dès la protohistoire, en imaginant des complémentarités.

Au Paléolithique, les premiers milieux à témoigner de la présence humaine sont les grottes et abris-sous-roche exposés au midi (vallées de la Vézère, de la Dordogne), les gués (Pincevent), les cols empruntés par le gibier migrateur (Solutré). Au Néolithique, l'intérêt des hommes se tourne vers les plateaux et les plaines non inondables, favorables à la culture des céréales. La géographie des vestiges néolithiques de Picardie suit au plus près celle du lœss recouvrant les plateaux, dessinant de vastes clairières à l'époque entourées de forêts couvrant versants, vallées et zones littorales humides.

Dès l'époque du bronze, les vallées et les sites portuaires révèlent leur intérêt en matière d'échanges. Peu à peu, les rivières reçoivent des noms qui les désignent de leur source à leur confluent ou leur embouchure. Certaines les portent encore (Arc, Arve, Dore, Gave, Var, Sequana, etc.). La situation d'isthme est exploitée : d'une mer à l'autre, le transport s'effectue aisément par voie d'eau, avec un transbordement sur une courte distance entre Seine ou Loire et Saône ou Rhône, entre Garonne et Aude.

Au Moyen Âge, l'unité des grands espaces plans du Nord du pays est reconnue. On les appelle plaines et non plateaux, ce dernier mot, inventé par les géographes, n'apparaissant qu'au XIXe siècle (le *Littré* de 1874 le définit encore comme un « terrain élevé qui s'étend en plaine »). Le royaume y a pris naissance et la céréaliculture y domine, ainsi que le paysage de champs ouverts imposé par l'assolement triennal réglé et qu'on appelle champagne ou campagne. Les grandes vallées sont également perçues comme des milieux à part, attirant transports, villes et cultures commerciales, au premier rang desquelles la vigne. En revanche, les littoraux ne sont repérés qu'aux environs des embouchures. Les ports, qu'il est intéressant d'aménager à ces points de contact, sont généralement situés à quelque distance, en raison du caractère marécageux de l'embouchure (Marseille) ou de la largeur de l'estuaire (sites de premier pont de Rouen, Nantes, Bordeaux).

L'AUTORISATION D'UNE ZAC ANNULÉE

La gentiane terrasse les bulldozers

La gentiane a obtenu gain de cause. La frêle herbacée a réussi à faire plier en sa faveur le tribunal administratif de Grenoble. Un arrêté préfectoral autorisant la réalisation d'une zone d'aménagement concerté (ZAC), près de la Mure (Isère), a en effet été annulé vendredi [10 mai 1996].

Les travaux étaient suspendus depuis le 19 février, dans l'attente du jugement. La FRAPNA (Fédération Rhône-Alpes de protection de la nature) et l'Association DRAC-Nature, à l'origine de cette procédure, peuvent crier victoire. Mais la pilule est amère pour les initiateurs du projet. Les emplois espérés dans cette zone intercommunale de la Matheysine, déjà bien touchée par l'annonce de la fermeture des houillères, sont donc remis en cause. Tout cela pour une petite fleur rare et protégée : la gentiane des marais, ou gentiane pneumonanthe.

Le tribunal a estimé que « la réduction de l'habitat de la gentiane pneumonanthe, par le remblaiement d'une partie du milieu dont elle fait partie, est de nature à entraîner à long terme, la disparition des biotopes où se développent actuellement la gentiane et deux autres espèces protégées ».

Les conclusions du jugement font bondir Claude Péquignot, maire de la Mure : « Cela signifie que, dans n'importe quel coin de France, on ne pourra plus rien faire. C'est la porte ouverte à un contentieux sur le plan national, mais aussi sur le plan local. »

Voilà sept ans que les auteurs du projet concoctaient les travaux de cette ZAC en concertation avec les élus des 37 communes adhérents au SMIME (Syndicat mixte de l'industrialisation de la Matheysine et de ses environs). Sans négliger, affirment-ils, l'aspect écologique.

Le secrétaire général, Pierre Pesenti, est également très déçu. Huit millions de francs de travaux ont déjà été réalisés sur plus de cinq hectares, pour finalement aboutir à une impasse : « Le but de cette réalisation était de créer des emplois et non de détruire les marais. Nous avions tout fait pour rendre les aménagements harmonieux tout en conciliant investissements financiers et environnement. »

Claude Péquignot, également président du SMIME, n'a cessé d'affirmer avoir respecté les lois : « Une étude hydraulique sur les risques d'inondation avait été réalisée par un spécialiste. Lors d'un rapport sur la flore, la présence de la gentiane dans une partie de la zone avait été mentionnée. Nous avions décidé de construire autour. »

En mars 1995, une première tranche de travaux avait commencé sur la ZAC qui s'étend sur les communes de Pierre-Chatel et de La Mure, sur une surface de 30 hectares, dont la moitié constructible. Cinq hectares étaient en cours d'aménagement quand, en juillet, DRAC-Nature lança son offensive et nota sur une carte d'état-major l'emplacement de la gentiane des marais.

Source : Françoise Lemoine, *Le Figaro*, 15 mai 1996.

C'est au XIXᵉ siècle seulement que les savants, géologues en parti-culier, relayés par les premiers touristes « inventent » les chaînes du Jura, des Alpes, des Pyrénées, par extension d'un toponyme s'appli-quant à l'une de leurs portions ou désignant le pâturage d'altitude, ainsi que le Massif central, jusqu'alors désigné par les noms des provinces ou des pays le composant : monts d'Auvergne, du Vivarais, du Limousin, des Cévennes, etc.

Au XXᵉ siècle, les Français découvrent en masse les milieux de la haute montagne et du littoral. Ils les transforment profondément et les urbanisent pour pouvoir y séjourner nombreux pendant leurs vacances. Ils imaginent aussi le concept de protection des milieux sensibles, gelant largement les transformations anthropiques dans certaines zones humides (Grande Brière, Camargue) ou certains massifs montagneux (Vanoise, Mercantour). De même, les milieux urbains des centres-villes, il y a peu de temps encore jugés insalubres et laids, font aujourd'hui l'objet d'une protection poussée, tandis que les cités-dortoirs des années 1960 et 1970, conçues pour l'hygiène et le bonheur de leurs habitants, sont devenues des milieux hautement répulsifs.

Il n'y a donc pas de milieu définitivement bon ou mauvais. Roger Dion l'avait déjà signalé en rappelant qu'on considérait jusqu'au XVIIIᵉ siècle la Champagne pouilleuse comme un « beau » et « bon » pays. Les physiocrates jetèrent l'opprobre sur elle en raison de sa résistance à la révolution agricole. On plaisantait encore dans les années 1960 en disant qu'il n'y poussait que des camps militaires. Puis, avec les labours profonds et les engrais, elle est revenue dans l'estime des agronomes, avant de contribuer à la surproduction européenne, de tomber sous le reproche des bureaux de Bruxelles et de se soumettre à la jachère imposée.

3. Les milieux actuels et leur dynamique

Les milieux français ont été façonnés dans le contexte du passage de climats périglaciaires à la palette des climats tempérés d'une façade ouest de continent, aux latitudes moyennes et dans un relief varié. L'espace français se partage entre les climats océanique de nuance fraîche ou tiède, semi-continental, méditerranéen et de montagne. Jusqu'au milieu du XIXᵉ siècle, le rythme de l'action humaine a été rela-tivement lent, avec néanmoins quelques accélérations : la révolution néolithique, la conquête romaine, le rétrécissement des espaces agri-coles pendant les Invasions, les grands défrichements des IXᵉ-XIᵉ siècles, la pression agricole des XVIᵉ-XVIIIᵉ siècles. L'ère industrielle, grâce aux nouveaux moyens de transport, aux techniques de mécanisation agri-cole et de production industrielle, à l'urbanisation accélérée, a boule-versé la géographie des milieux français.

LES ESPACES PROTÉGÉS

Guadeloupe | Martinique | Guyane | Réunion

Boulonnais · Audomarois
Vallée de la Scarpe et de l'Escault
Manche
Brotonne
Oise
Parc du Nord Pas-de-Calais
Lorraine
Haute vallée de Chevreuse
Montagne de Reims
Vosges du Nord
Armorique
Normandie Maine
Fontainebleau
Forêt d'Orient
Brière
Loire
Seine
Saône
Hautes Vosges et Vosges du Sud
Vienne
Morvan
Haut Jura
Volcans d'Auvergne
Allier
Livradois Forez
Vanoise
Marais Poitevin Val-de-Sèvres Vendée
Dordogne
Pilat
Vercors
Océan Atlantique
Queyras
Cévennes
Ecrins
Mercantour
Landes de Gascogne
Haut Languedoc
Pyrénées Occidentales
Garonne
Lubéron
Camargue
Port-Cros
Corse
Rhône
Mer Méditerranée

0   100 km

Parc national
- créé
- à l'étude

Zone périphérique du parc national

Parc régional
- créé
- à l'étude

— Terrain du conservatoire du littoral
○ Réserve naturelle

⬛ } Site classé de plus de 100 ha
★

Source : DATAR.

Récemment, en raison de la crise et d'une évolution des mentalités, un affaiblissement de la pression humaine sur les milieux s'est fait sentir. C'est surtout vrai dans les campagnes, mais la construction s'est aussi ralentie en ville. Les ruraux comme les citadins n'utilisent que partiellement les immenses possibilités techniques dont ils disposent. La notion d'environnement est apparue, et depuis 1971 un département ministériel prend en charge les problèmes qui s'y rattachent. La réflexion, l'étude d'impact et la demande d'autorisation auprès des autorités administratives précèdent désormais l'aménagement.

1. Les milieux néo-naturels

Héritier du naturalisme du XVIIIᵉ siècle et inspiré de la politique imaginée dans les pays du nord de l'Europe et de l'Amérique, le mouvement de sacralisation de la nature est tardif en France. La création du Club alpin français en 1874 est l'un de ses actes fondateurs. Un premier site est classé par l'État en 1898 (les cascades de Gimel, en Corrèze), alors qu'aux États-Unis, les sources chaudes d'Arkansas sont protégées depuis 1832 et que la création du Parc de Yellowstone date de 1872. La loi de 1906 sur la protection des sites et monuments naturels fixe les premiers principes de la conservation. C'est en 1927 qu'est créée la première réserve naturelle, en Camargue. La loi sur les parcs nationaux est votée en 1960, et c'est en 1963 que sont créés les deux premiers parcs : la Vanoise et Port-Cros. Enfin, une grande loi de protection de la nature est votée en 1976.

Dans les réserves naturelles, dans les parcs nationaux ou régionaux, dans les zones d'environnement protégé (ZEP), une politique de plus en plus stricte est mise en œuvre. La plupart des aménagements y sont proscrits. Par exemple, en 1996, une zone d'activité prévue depuis des années en Matheysine, pour résorber le chômage dû à la fermeture des mines de La Mure, est interdite par le tribunal administratif sur la requête d'associations de protection de la nature, en raison de la présence sur le site de... gentianes pneumonanthes (voir p. 56).

Certaines régions humides (Camargue, Grande-Brière) ou de haute montagne sont en train de retourner, de par la volonté de l'homme, à la seule interaction des processus naturels. La forêt relictuelle de hêtres de la Sainte-Baume ou la réserve intégrale de la série artistique de Fontainebleau sont des exemples extrêmes de cette néo-nature, aussi artificielle que le cerf du Père David, espèce disparue à l'état sauvage, qui survivait dans les jardins impériaux de Pékin où elle fut exterminée lors du sac de 1860, mais qui avait été auparavant offerte à divers jardins zoologiques étrangers (dont la ménagerie du Museum de Paris).

Ces milieux protégés présentent un grand intérêt scientifique et ils correspondent à un besoin culturel des Français, mais il est abusif d'en faire des « modèles » ou des vestiges d'un paradis perdu.

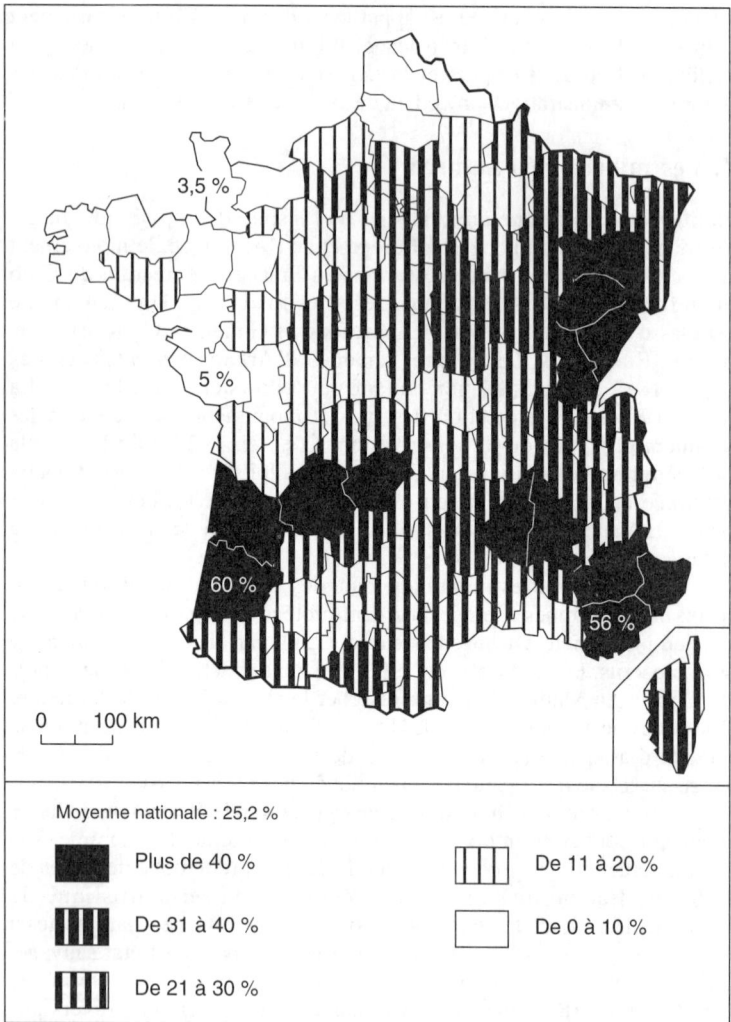

LE TAUX DE BOISEMENT (1990)
– bois et peupleraies en plein –

3,5 %

5 %

60 %

56 %

0   100 km

Moyenne nationale : 25,2 %

■ Plus de 40 %

▮▮▮ De 31 à 40 %

▮▮▮ De 21 à 30 %

|||| De 11 à 20 %

De 0 à 10 %

Source : ministère de l'Agriculture et de la Forêt,
direction de l'Espace rural et de la Forêt.

Sans doute plus réellement néo-naturelles – ce qui ne veut pas dire plus dignes d'estime – sont les forêts spontanées ou friches, qui repoussent depuis les débuts de la grande déprise agricole et rurale dans les années 1950. Une forêt atlantique de chênes, charmes, hêtres... avec sous-bois de noisetiers, houx, ronces et autres arbustes ou plantes basses se reconstitue en un quart de siècle si l'humidité est suffisante. Un laps de temps bien plus court suffit à rendre une lande, une garrigue ou un maquis impénétrable, et donc sensible au feu en été.

2. Les forêts cultivées

La forêt est, avec la ville, le type de milieu qui progresse le plus depuis la Seconde Guerre mondiale. Plus de 28 % du territoire français est aujourd'hui forestier, ce qui représente la moitié de la forêt européenne. À titre de comparaison, la forêt britannique ne représente que 7 % du pays. L'exception que constitue la France tient à l'étendue des terrains en pente dans les divers massifs montagneux, mais surtout à une politique de protection et d'aménagement assez stricte, mise sur pied par l'État dès le Moyen Âge. En 1219, Philippe Auguste signe une ordonnance réglant la gestion de la forêt de Retz. En 1346, par l'ordonnance de Brunoy, Philippe VI établit un véritable code forestier. Cette attention à la forêt vise à éviter une exploitation anarchique pour que les futaies parviennent à l'âge adulte et fournissent des bois nobles et de grandes dimensions, indispensables aux bâtiments civils, militaires et religieux, ainsi qu'à la Marine. Sans des hommes comme Colbert, auteur de la Grande Réformation de 1669, ou Napoléon III qui encouragea le reboisement des Landes de Gascogne, de la Sologne et de la Champagne, ainsi que la restauration des terrains de montagne, les massifs forestiers se seraient réduits comme peau de chagrin.

Depuis la création de l'École forestière de Nancy en 1824, la futaie et le taillis sous futaie progressent régulièrement sur le taillis simple. Les résineux ont aussi progressé, mais dans des proportions raisonnables. Ils représentent aujourd'hui 35 % de la forêt française (70 % en Allemagne ou au Royaume-Uni), contre 50 % pour les divers chênes et hêtres. L'opinion publique ne les aime guère, sauf dans les Landes, les Vosges, le Jura, les hautes terres des Alpes du Nord, du Massif central ou des Pyrénées, là où ils sont cultivés depuis longtemps. Le pin noir d'Autriche a pourtant permis depuis 1860 d'enrayer l'érosion sur bien des versants des Alpes du Sud et d'apporter, en outre, des ressources aux communes concernées. On ne sait pas toujours non plus que l'importation de pâte à papier issue de résineux canadiens ou scandinaves, à laquelle vient s'ajouter du bois d'œuvre, en partie résineux, en partie tropical, explique pour la filière bois un déficit de 20 milliards de francs.

La forêt française souffre d'un mal plus grave : le morcellement et le manque d'entretien. Dans beaucoup de régions, naguère cultivées, elle

LES ESSENCES DE LA FORÊT FRANÇAISE

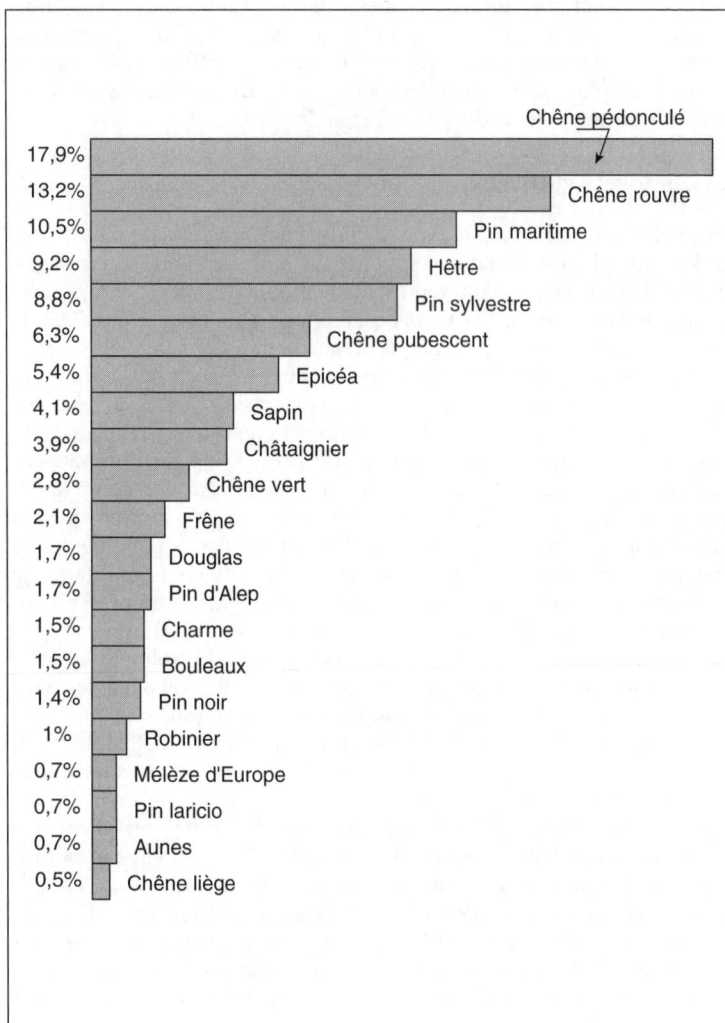

17,9%	Chêne pédonculé
13,2%	Chêne rouvre
10,5%	Pin maritime
9,2%	Hêtre
8,8%	Pin sylvestre
6,3%	Chêne pubescent
5,4%	Epicéa
4,1%	Sapin
3,9%	Châtaignier
2,8%	Chêne vert
2,1%	Frêne
1,7%	Douglas
1,7%	Pin d'Alep
1,5%	Charme
1,5%	Bouleaux
1,4%	Pin noir
1%	Robinier
0,7%	Mélèze d'Europe
0,7%	Pin laricio
0,7%	Aunes
0,5%	Chêne liège

Source : Office national de forêts.

LE DOUGLAS FACE AUX ÉCOLOGISTES

Les résineux font l'objet d'un rejet de la part des Français. Rejet paradoxal si l'on songe que la France conserve une des plus belles forêts feuillues d'Europe : l'Allemagne ou le Royaume-Uni ont des forêts résineuses à plus de 70 % alors que la proportion de résineux dans les forêts françaises est d'environ un tiers.

L'attitude des Français face aux résineux a des racines sans doute très profondes et a connu des manifestations anciennes mais s'est surtout développée depuis les années 1950 à la faveur des reboisements subventionnés par le FFN [Fonds forestier national] dont les résineux ont été les principaux bénéficiaires. Jusqu'aux années 1970, les résineux représentaient plus de 90 % des aides, environ 75 % ensuite. Le douglas recueille environ un tiers des subventions accordées aux résineux.

Que reproche-t-on aux résineux ? En simplifiant, on peut classer les critiques en deux catégories : les griefs d'ordre écologique (les résineux modifient un écosystème) et les griefs d'ordre plus sociologique et culturel (les résineux modifient un équilibre paysager, et parfois l'image de toute une région). [...]

Tout d'abord, il faut rappeler que l'acidification est un processus naturel d'évolution des sols forestiers sous nos climats. Il est plus rapide sous les peuplements de conifères, mais il se manifeste aussi sous les feuillus. Beaucoup d'essences feuillues qu'on pourrait souhaiter réintroduire après des résineux supportent les sols acides... Enfin, force est de constater que les forêts résineuses naturelles des montagnes ou des pays nordiques ne sont pas devenues, malgré la présence multimillénaire de conifères, des déserts hostiles et improductifs. [...]

En ce qui concerne les conditions de sol, on peut résumer en disant que l'effet nocif des résineux est certain sur les sols sensibles, de texture grossière et mal pourvus en cations basiques ou en minéraux facilement altérables, mais beaucoup plus modéré voire imperceptible sur les sols plus riches (roches cristallines basiques, roches éruptives, roches-mères argilo-calcaires). Il faut d'ailleurs remarquer que les études pédologiques ont toutes été menées sur des sols acides et fragiles (sur sables, granites, grès, schistes), jamais sur des sols issus de roches-mères argileuses ou calcaires. La Champagne qu'on qualifiait autrefois de « pouilleuse » a supporté pendant au moins un siècle des forêts de pin noir d'Autriche et c'est aujourd'hui une terre agricole fertile * ! [...]

* La Champagne crayeuse a gagné 135 500 hectares de surface agricole entre 1965 et 1970, dont 115 000 par le défrichement de bois de pins noirs d'Autriche.

Source : Vincent Moriniaux, *Forêt-entreprise*, n° 10.

LA RÉPARTITION DES HAIES EN FRANCE
(en km)

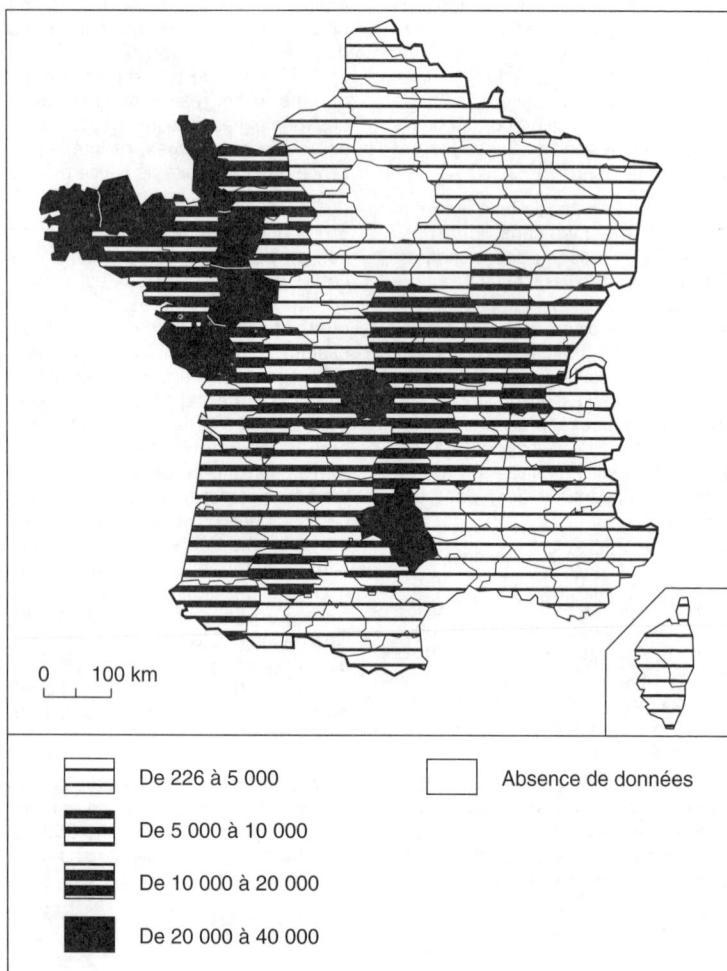

0   100 km

	De 226 à 5 000		Absence de données
	De 5 000 à 10 000
	De 10 000 à 20 000
	De 20 000 à 40 000

Source : Institut pour le développement forestier.

a, en effet, envahi spontanément des parcelles minuscules que personne n'a jamais songé à remembrer. Cette forêt, qui appartient pour l'essentiel à des agriculteurs, est impénétrable, très irrégulièrement régénérée, sensible aux incendies en cas de sécheresse, pas seulement dans les régions méditerranéennes. Elle fait, en revanche, le bonheur du gibier ; les sangliers et les cervidés trop nombreux sont devenus une plaie pour les agriculteurs dont ils dévastent les champs (de maïs, par exemple).

Les forêts domaniales (d'État) ou dites soumises (communales, pour l'essentiel), soit à peu près le quart de la superficie totale, font l'objet de soins attentifs. Elles sont non seulement rentables, mais procurent beaucoup d'agrément aux promeneurs, car les chemins y sont praticables, de même que le sous-bois lorsqu'il a atteint l'âge adulte. Les grandes chênaies de Tronçais, de Bercé ou de Bellême, chefs-d'œuvre de la foresterie française, sont de ces milieux dans lesquels l'homme et les autres règnes de la nature se rendent un hommage mutuel.

3. Les milieux de la grande culture

Les plateaux sédimentaires recouverts de lœss du centre du Bassin parisien sont consacrés à la culture des céréales depuis environ 7 000 ans, c'est-à-dire depuis l'arrivée des populations brachycéphales venues du Danube, au Néolithique. Pour autant, le paysage n'a pas cessé de varier, en particulier la forme et la taille des champs. Des phases de reconquêtes forestières ont alterné avec des périodes de défrichements. L'openfield ne s'est généralisé qu'à partir du XIIIᵉ siècle. La jachère n'a disparu qu'aux XVIIIᵉ-XIXᵉ siècles, grâce à l'introduction des plantes fourragères (trèfle, luzerne, sainfoin) sous l'impulsion des physiocrates. Si des rassembleurs de terres avaient constitué de grandes parcelles dès le Moyen Âge, les remembrements spontanés entre exploitants ou généralisés à une commune ne se sont multipliés qu'au XXᵉ siècle. Depuis 1945, le productivisme a entraîné un nouvel accroissement de la taille des parcelles. Du matériel toujours plus lourd et puissant a été utilisé, entraînant des formes d'érosion jusqu'alors inconnues en ces régions. Les engrais et les pesticides font l'objet d'épandages massifs provoquant la pollution des eaux des nappes phréatiques. Celles-ci sont par ailleurs soumises à rude épreuve, la culture du maïs exigeant d'abondants arrosages pendant les mois les plus chauds de l'année.

4. Les milieux de l'élevage de l'Ouest

L'Ouest au climat plus frais et humide, aux sols dans l'ensemble plus légers et souvent acides, aux pressions démographiques longtemps plus faibles a opté pour l'individualisme agraire et pour le bocage. Celui-ci s'est densifié au fil des siècles et n'a atteint son maximum qu'au lendemain de la dernière guerre. L'émiettement du parcellaire était alors très

LES SURFACES DRAINÉES EN FRANCE (1988)

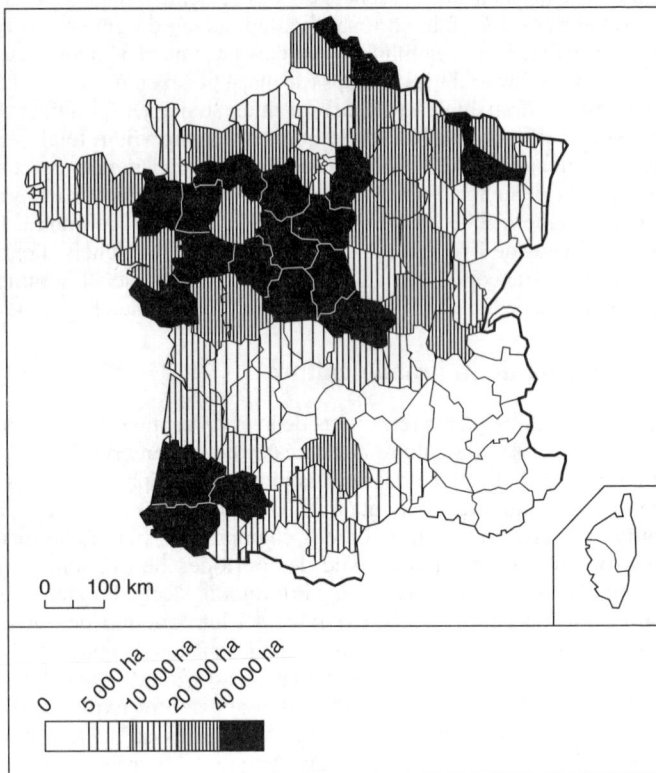

0   100 km

| 0 | 5 000 ha | 10 000 ha | 20 000 ha | 40 000 ha |

Source : recensement général de l'agriculture.

Le drainage est surtout pratiqué dans les plaines basses et les grandes vallées de l'Ouest.

poussé. Pour pouvoir mécaniser, les agriculteurs ont donc appelé le remembrement de leurs vœux et celui-ci a été réalisé au prix d'un arrasement très poussé des talus et des haies. C'est tout particulièrement vrai de la Bretagne, un peu moins de la Vendée ou de la Normandie. La mécanisation a été rendue possible, mais les systèmes hydrologiques ont été ici ou là désorganisés et le paysage a perdu son originalité, au moment où sa valorisation devenait possible par le tourisme vert, comme cela s'est produit au Royaume-Uni ou en Irlande. En même temps, les exploitants agricoles, généralement dynamiques, ont pallié la petite taille de leurs exploitations par une orientation massive vers la culture et surtout l'élevage hors-sol. Volailles, porcs et bovins de batterie ont assuré pour un temps la prospérité des agriculteurs, mais ils sont de redoutables sources d'une pollution que les stations d'épuration ne parviennent pas à absorber et ne fournissent qu'une nourriture de médiocre qualité venant engorger des marchés largement saturés. Par ailleurs, des problèmes sanitaires graves se posent déjà. Les seuls cas français d'encéphalite spongiforme bovine (maladie de la « vache folle ») se sont déclarés en 1995 et 1996 dans l'Ouest.

5. Les milieux de l'arboriculture, de la viticulture et du maraîchage

Dans les plaines méditerranéennes, ainsi que dans les grandes vallées et les coteaux de toute la France, se pratiquent des formes d'agriculture très minutieuses qui réclament une forte densité humaine. Dès l'époque de Louis XI, la Touraine était appelée *Franciae viridarium* (le verger de la France). Ce sont les milieux agricoles les plus artificiels. Le climat y est désormais réchauffé artificiellement en hiver : serres de verre ou tunnels en plastique, systèmes de lutte contre le gel dans les vignobles du nord (chaufferettes au fuel, rampes à rayons infra-rouges, ventilateurs, brumisateurs d'eau). Le maraîchage appelle l'irrigation, où qu'il se pratique. Le sol est régulièrement remonté en haut des coteaux viticoles, après avoir été récupéré dans des bassins de décantation (en Bourgogne, par exemple). L'utilisation de plants de vigne ou d'arbres fruitiers clonés, de variétés légumières à longue conservation, l'emploi massif d'herbicides, pesticides, engrais chimiques ou, comme en Champagne, de gadoues d'usines de traitement des ordures, font de ces milieux des mondes en apparence sans risque, mais dont les sols sont biologiquement morts et dont les productions sont toujours plus insipides et trompeuses. Les espaces aquacoles en eau douce se rapprochent de ces milieux de culture intensive.

LES SURFACES IRRIGUÉES EN FRANCE (1988)

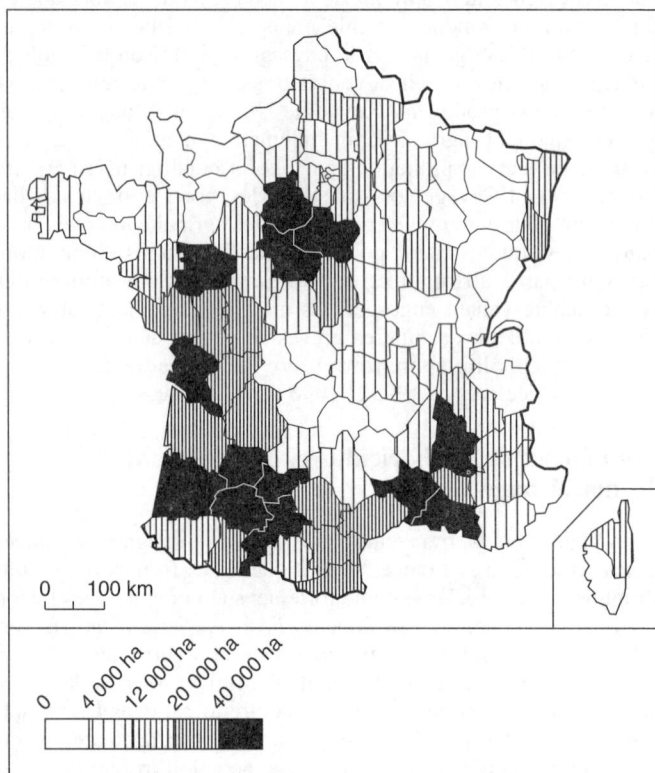

0   100 km

0   4 000 ha   12 000 ha   20 000 ha   40 000 ha

Source : recensement général de l'agriculture.

L'irrigation concerne le Midi méditerranéen ou aquitain et les pays de grande culture (maïs) ou de cultures maraîchères.

6. Les milieux des hauts plateaux, des collines et des moyennes montagnes

Longtemps jugés peu favorables, ces milieux ont subi un fort exode rural depuis le XIXᵉ siècle. Les friches et les bois plus ou moins bien exploités y occupent beaucoup de place. Le paysage, y compris le bâti, porte encore de nombreuses traces des techniques anciennes. La polyculture associée à l'élevage y est encore pratiquée : par exemple en Périgord (céréales, cultures fourragères, élevage bovin, ovin, caprin, porcin, avicole, noyers, châtaigniers, etc.). L'archaïsme de naguère est parfois devenu un facteur de réussite, en particulier lorsqu'une production bénéficie de l'Appellation d'Origine Contrôlée (olives de Nyons, lavande, vin de l'Hermitage produit sur des pentes vertigineuses, par exemple). Les Causses, plateau karstique situé à 1 000 mètres d'altitude et d'apparence désolée, permettent des revenus décents à leurs habitants grâce au roquefort. De même en est-il du haut Jura avec le comté et la charcuterie de montagne, du Cantal et de l'Aubrac, du Beaufortin, du Pays basque, de l'Avesnois, etc. Le tourisme vert (randonnée pédestre ou équestre, ski de fond, etc.) s'appuie sur la qualité des paysages ; gîtes ruraux, camping à la ferme, fermes-auberges fournissent des revenus d'appoint aux habitants et justifient plus encore le maintien de l'agriculture (Vosges, Sud-Ouest, Cévennes, etc.). Certaines vallées de ces régions ont connu dès le début du XIXᵉ siècle une forte industrialisation fondée sur la force hydraulique ou sur des affleurements de houille. Ces « pays noirs » ont subi une intense pollution pendant un peu plus d'un siècle (Carmaux, Saint-Étienne, Le Creusot, Lavelanet, Montluçon). L'air y est redevenu respirable, mais au détriment de l'emploi.

Dans les régions méditerranéennes, les moyennes montagnes sont des milieux à la fois moins humanisés et plus fragiles qu'ailleurs, principalement en raison des incendies qui se déclenchent naturellement (foudre) ou en raison d'imprudences involontaires ou calculées (spéculation immobilière en secteur périurbain). Chaque année 45 000 ha partent en fumée, soit 0,3 % de la forêt française. Sans que ce soit un motif de consolation, une superficie deux fois supérieure brûle chaque année en Italie, quatre fois supérieure en Espagne.

7. Les milieux de haute montagne

Ces régions tardivement mises en valeur, du fait de la rudesse du climat et de la raideur des pentes, ont également subi un fort exode rural. Depuis le XIXᵉ siècle, la forêt a beaucoup gagné, soit spontanément, soit du fait de la politique menée par l'État (création dès 1845 d'une commission pour la restauration des terrains de montagne, lois de 1860 sur le reboisement des montagnes et de 1864 sur leur regazonnement).

CAMPAGNE POUR LE DÉBROUSSAILLEMENT

Régulièrement, les départements du Sud de la France sont sévèrement éprouvés par les incendies de forêt.

Les moyens humains et matériels mis en œuvre par l'État et le département ont permis de limiter les effets dévastateurs du feu.

Cependant les broussailles autour des habitations constituent un danger et sont une des principales causes de propagation du feu.

Aussi, afin d'éviter le retour de sinistres, de scènes de désolation et de détresse qui sont encore dans toutes les mémoires, nous vous rappelons que vous devez débroussailler les abords de votre habitation.

La loi du 4 décembre 1985 vous en fait obligation.

Le feu ne doit pas être une fatalité.

Pour la sécurité de tous, pour celle des vôtres, pour la sauvegarde de votre patrimoine, de notre environnement, débroussaillez à temps, débroussaillez avant !

Vivre proche de la nature, de la forêt, procure des agréments mais implique dans notre département certaines précautions et obligations.

Pensez au danger que les incendies de forêt font courir à tous, aux personnes et aux biens ainsi qu'à l'environnement en général.

Aussi, en complément indispensable des actions de prévention menées par les pouvoirs publics, rappelons que vous avez l'obligation légale de débroussailler les terrains qui bordent votre habitation.

Source : Direction départementale de l'Agriculture et de la Forêt de l'Ardèche.

Difficile tentative de reboisement sur un versant marneux du Diois érodé par suite de défrichements imprudents entre le XVIIIe siècle et le milieu du XXe siècle (Jonchères, Drôme).

Les crues torrentielles y ont toujours été fréquentes, mais les berges des rivières ont subi de multiples aménagements (Isère, Drac...) et, surtout, la construction de barrages hydro-électriques a eu pour effet de régulariser des eaux naturellement tumultueuses. La présence d'une énergie abondante et bon marché explique l'industrialisation de plusieurs vallées alpines (Maurienne, Grésivaudan) devenues de véritables rues d'usines. Percés de tunnels transfrontaliers, les massifs alpins sont aujourd'hui accessibles par des voies routières ou autoroutières aménagées au prix de coûteux ouvrages d'art. Permettant l'accès aux stations de sports d'hiver ou d'alpinisme, les grandes vallées alpines ou pyrénéennes sont souvent aussi embouteillées que les voies d'accès aux grandes métropoles de plaine. Pour des raisons variées, les hautes montagnes françaises ne sont pas toutes aussi humanisées les unes que les autres. Parmi les plus urbanisées et équipées, citons le massif du Mont-Blanc ou la Vanoise. En revanche, le Queyras ou le Couserans demeurent relativement sauvages.

Les lacs qui occupent la périphérie du massif alpin sont des milieux originaux. Ils sont apparus à l'issue de la fonte des derniers glaciers et l'homme a participé dès leur origine à leur biogéographie et à la physionomie de leurs rivages. Le degré de pollution diminue rapidement, les communes riveraines du lac d'Annecy ayant montré l'exemple les premières, grâce à un bon réseau de stations d'épuration.

8. Les milieux littoraux

Ils ont toujours évolué avec une grande rapidité. Résultant de la transgression flandrienne, ils comportent des falaises entaillées de rias et calanques, vallées drainées ou sèches envahies par la mer, et des zones recouvertes d'une pellicule d'eau, s'envasant, coupées de plus en plus de la mer par des cordons dunaires et des lagunes. Leur intérêt (pêche, conchyliculture, salines, chasse aux oiseaux migrateurs, sols vaseux potentiellement agricoles, aménagements portuaires, tourisme) y a attiré beaucoup de monde et a donc très tôt créé des conflits. La baie du Mont-Saint-Michel, les marais vendéen et poitevin, le littoral de la Côte d'Azur sont des secteurs sensibles où s'opposent les tenants d'aménagements volontaristes, créateurs d'activités économiques et d'emplois, et les défenseurs du maintien en l'état de milieux anciens, relativement équilibrés tant qu'ils sont entretenus. L'accord réalisé en Charente-Maritime à la fin des années 1980, sous l'égide du Conseil général, entre les agriculteurs du marais utilisant moins d'engrais, les ostréiculteurs s'efforçant de maintenir la limpidité de l'eau de mer, les professionnels du tourisme attentifs à la capacité des stations d'épuration et les responsables d'associations de protection montre que des solutions sont possibles. Des formes d'urbanisation touristique aussi importantes que les stations du littoral languedocien, édifiées dans les années 1970 et 1980,

ON A BEAUCOUP NOIRCI LES MARÉES NOIRES

Côtes souillées, cormorans mazoutés... Les accidents de pétroliers traumatisent des régions entières. Mais les études scientifiques menées depuis plus de vingt ans montrent que le milieu marin récupère très bien... pour peu que l'homme ne fasse pas un ménage trop rapide. L'accent est quand même mis sur la prévention, en Méditerranée notamment, où l'absence de marée complique le jeu.

Aucune pollution pétrolière n'a jamais mis la mer en danger. Tel est le verdict des experts, réunis à deux reprises ces dernières semaines, autour du thème de la pollution par les hydrocarbures. Paradoxalement, c'est la première grande marée noire de l'ère industrielle qui en apporte la meilleure preuve. Le naufrage du pétrolier *Amoco Cadiz* en 1978, avait fait craindre le pire. Ses 223 000 tonnes de brut répandues en Manche avaient souillé 360 km de côtes bretonnes. Quinze années plus tard, l'écosystème a repris tous ses droits. « Le milieu naturel a parfaitement récupéré », note Éric Dutrieux de l'Institut des aménagements régionaux et de l'environnement (IARE) de Montpellier. Ce jugement global, obtenu après des années d'un suivi méticuleux de la faune et de la flore, comporte toutefois quelques nuances. Ainsi, dans quelques secteurs sensibles du littoral, le piétinement intensif des sauveteurs a été à l'origine d'une érosion importante des sols et d'un échec dans la restauration spontanée du milieu. Un remède pire que le mal, selon Jacques Denis, de l'IFREMER. « Il ne fallait pas intervenir. Dans certains cas, mieux vaut laisser faire la nature. »

En revanche, un petit coup de pouce s'avère nécessaire lorsque les zones polluées se trouvent hors d'atteinte de l'action récurante de la mer. C'est le cas des accidents de navigation liés au mauvais temps ou aux grandes marées. L'action combinée des vagues, des courants et du vent peut alors pousser la nappe de pétrole vers l'intérieur des terres, dans la moindre anfractuosité de côte habituellement à l'abri. En Bretagne, Jacques Denis a retrouvé, quinze ans après le naufrage de l'*Amoco Cadiz*, les traces irisées de son pétrole dans des coins marécageux, situés loin en arrière du littoral. « Cette persistance frappe surtout les milieux fermés, de type mangroves ou lagunes, poursuit Éric Dutrieux. En revanche, ce sont en général des secteurs faciles à protéger contre l'intrusion du pétrole, au moyen de barrages flottants par exemple. » [...]

Source : *Libération,* 2 novembre 1993.

ne seraient sans doute pas décidées aujourd'hui, tant les mentalités ont changé. Beaucoup de Corses se félicitent d'avoir résisté au béton, même si c'est au prix de la langueur économique.

9. Les milieux urbains

Par définition, ils sont les plus anthropisés, ce qui laisse à penser que les hommes y trouvent des avantages, y compris en matière d'environnement. C'est probablement de plus en plus vrai. L'eau du robinet est plus potable à Paris que dans bien des communes bretonnes. La pollution de l'air demeure importante dans certaines villes, mais seulement certains jours : Lyon ou Grenoble, lorsque le vent du sud rabat les fumées des couloirs de la chimie, le centre et l'ouest de Paris par temps d'anticyclone, Berre, Fos, Le Havre, Rouen, etc. Mais la quasi-disparition du chauffage et de la cuisine au charbon rend l'atmosphère des villes généralement supportable. Par ailleurs, en hiver, l'îlot de chaleur urbain ne présente pas que des désagréments. Les espaces verts urbains sont moins nombreux en France que dans les villes d'Europe du Nord, mais hormis Paris, la campagne commence généralement à deux pas des grandes villes françaises (Dombes et Bugey au nord de Lyon, Sainte-Baume et massif des Calanques près de Marseille, forêt landaise aux portes de Bordeaux, arrière-pays niçois, Massif vosgien à l'ouest de Strasbourg, etc.).

10. Les milieux des DOM-TOM

Étant situés sous toutes les latitudes, leur analyse est complexe. Dans certains, les processus non anthropiques disposent d'une grande autonomie : intérieur de la Guyane, Terres australes et antarctiques, Clipperton. Dans les autres, des déséquilibres plus ou moins graves sont survenus du fait de la croissance très rapide de la population (Antilles, Réunion) ou d'une attention insuffisante portée à certains systèmes fragiles. La pollution du lagon de Tahiti ou l'épuisement des richesses halieutiques de Saint-Pierre-et-Miquelon en sont des exemples. Les cyclones, désormais suivis heure par heure sur les images satellitaires, permettent aux populations de se protéger, mais les habitations ne sont toujours pas adaptées pour résister à leur violence. Grâce aux indemnités publiques, ils fournissent donc l'occasion de reconstructions que la précarité des matériaux rendrait de toutes les façons nécessaire plusieurs fois par siècle.

LES TEMPÉRATURES EN ÎLE-DE-FRANCE

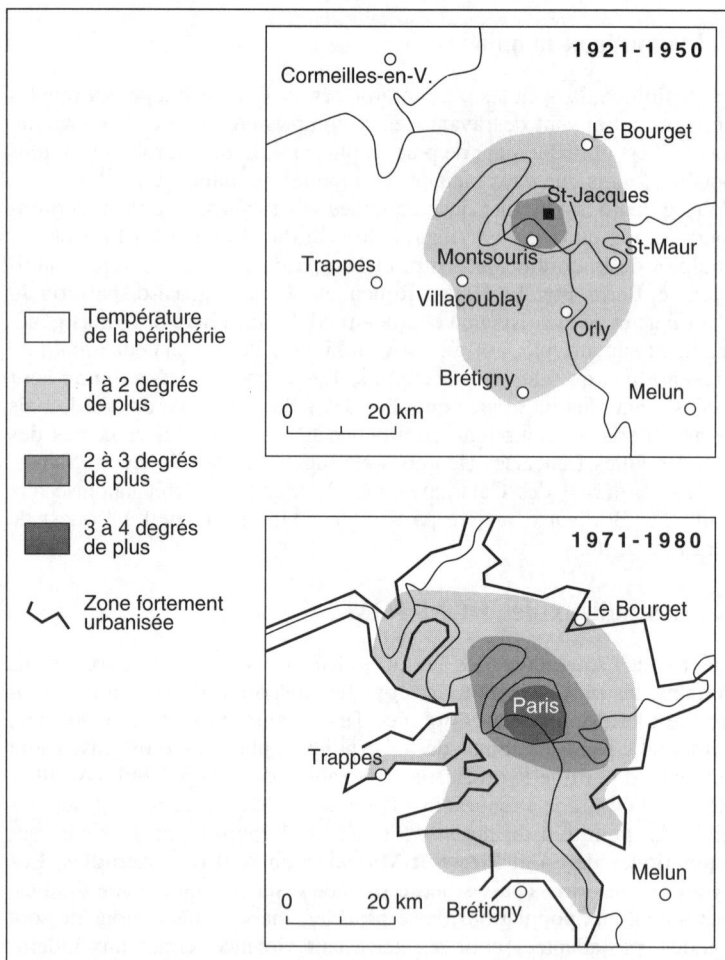

1921-1950

Cormeilles-en-V.

Le Bourget

St-Jacques

Trappes Montsouris St-Maur

Villacoublay

Orly

Brétigny Melun

0 20 km

Température
de la périphérie

1 à 2 degrés
de plus

2 à 3 degrés
de plus

3 à 4 degrés
de plus

Zone fortement
urbanisée

1971-1980

Le Bourget

Paris

Trappes

Melun

0 20 km Brétigny

Source : d'après Gisèle Escourrou, dans J.-R. Pitte (dir.) : *Paris, histoire d'une ville,*
Paris, © Hachette, 1993.

4. La prévention des risques

Dès le Moyen Âge, les Français ont cherché à se protéger des catastrophes les plus prévisibles. Les digues édifiées dans les grandes vallées alluviales ou sur certains littoraux (Flandre, Picardie) ont autant servi à conquérir de nouvelles bonnes terres agricoles qu'à protéger les riverains des inondations et des tempêtes. Les ingénieurs néerlandais, meilleurs spécialistes européens, se sont vus confier au fil des siècles de plus en plus de travaux de protection et de drainage. La lutte contre l'érosion (terrasses, reboisements) est également une pratique ancienne, tant paysanne que placée sous la responsabilité de l'État. Si certaines grandes avalanches ou grands effondrements de montagnes (mont Granier, au sud de Chambéry, en 1248, provoquant plusieurs milliers de morts) n'avaient pas été prévus, la sagesse populaire a longtemps évité l'installation de maisons sur les sites les plus visiblement risqués. Il existe cependant des exceptions. De nouveaux écroulements majeurs et potentiellement meurtriers sont à prévoir (Saint-Étienne-de-Tinée, par exemple). Ils sont étudiés et suivis, mais sont aussi inévitables qu'un grand tremblement de terre à Tokyo à court ou moyen terme. On ne peut qu'en minimiser les conséquences en les prévoyant le mieux possible.

La ruée touristique et la croissance urbaine de la deuxième moitié du XXᵉ siècle, ajoutées à l'esprit de lucre des professions immobilières et à la pusillanimité de certains élus, ont fait oublier toute précaution dans certaines régions : littoraux à falaises du Nord-Ouest, couloirs d'avalanches en montagne, basses terrasses inondables, etc. La loi de 1982 sur les catastrophes « naturelles » prévoit pour les communes courant un risque d'inondation, d'avalanche, de mouvement de terrain, de séisme, l'établissement d'un plan d'exposition aux risques (PER), destiné à avertir les propriétaires courant des risques et à interdire les constructions sur certaines zones. Les résistances sont fortes : sur plus de 10 000 communes françaises censées réaliser ce document, seules quelques centaines avaient engagé la procédure au milieu des années 1990.

UNE INTERPRÉTATION DES INONDATIONS DE JANVIER 1995

Les inondations actuelles dépassent largement l'échelle française par leur ampleur, leur ténacité et leur genèse. C'est dire qu'elles ne pouvaient être contenues dans une argumentation « hexagonale ». La conséquence d'une telle base de départ est que, ne dominant pas les échelles spatiales avec suffisamment de clarté, on a vite mélangé les effets de haies coupées, de fossés comblés d'urbanisation discutable et de corrections de cours d'eau, avec l'échelle supérieure qui est quand même la couverture de 43 départements français, de la Belgique, de la Hollande et de l'Allemagne rhénane. Comment faire croire que le désastre qui touche une partie de l'Europe occidentale est avant tout l'addition des erreurs humaines ? C'est cela, bien évidemment, mais ce n'est pas que cela. Autrement dit il n'est pas étonnant que l'on assiste maintenant à des controverses qui ne se situent pas clairement à leur niveau d'analyse, qui recherchent des responsabilités humaines qu'on aura du mal à déterminer, dans la confusion des propos. [...] Cette mauvaise perception est illustrée par cette question aberrante : « Peut-on, ou non, lutter contre les risques naturels » (en l'occurrence les risques hydro-climatiques). On ne peut pas répondre par oui ou par non à cette question. [...] C'est que tous les cas de figure ne se ressemblent pas, en terme de risques. Il en est ainsi sur l'ensemble de l'espace actuellement sinistré, tant cet espace est géographiquement hétérogène dans ses paramètres physiques et humains. Dans le même ordre d'idées, il n'est pas possible de répondre de façon conjointe pour le drame que vit en ce moment l'Europe occidentale ou pour un drame d'étendue comparable, qui affecterait le Bangladesh ; de même, pour des raisons d'échelle spatiale, d'intensité des pluies, de détail de la topographie et des aménagements, quand on parle des catastrophes de Nîmes ou de Vaison-la-Romaine, on se situe dans un cadre non comparable aux précédents. C'est certes évident, mais les évidences n'étant pas toujours perçues, le mieux est quand même de les signaler !

Cela dit, il ne faut pas oublier que les risques font une part à la nature. Car la nature a aussi ses responsabilités que les hommes ont trop tendance à ignorer dans l'organisation de leur territoire. Il y a un seuil jusqu'où ils ont accès à la parade par la prévention, mais au-delà duquel ils entrent dans le risque incontrôlable, et cela, il faut le dire. À voir l'ampleur du désastre de janvier 1995, on doit admettre que ce seuil a été globalement dépassé. [...]

Il faut donc bien insister aussi sur l'événement naturel (celui dont l'échelle recouvre toutes les autres), en l'occurrence le défilé incessant de perturbations pluvieuses qui ont imposé une situation incontournable c'est-à-dire implacable au Nord-Ouest de l'Europe ces temps-ci.

À ce propos, on n'insistera jamais assez sur le fait que notre civilisation industrielle et urbaine est mangeuse d'espaces, sur lesquels le contrôle des excès naturels ne peut être absolu. Ce qui revient à dire que les hommes ne peuvent prétendre indéfiniment défier des conditions naturelles, auxquelles ils doivent s'attendre à payer, de temps à autre, un inexorable tribut.

Source : Pierre Pagney *in litteris*.

4

L'aménagement du territoire : une affaire d'État

L'expression « aménagement du territoire » apparaît en France après la Seconde Guerre mondiale. Elle équivaut à l'anglais *land planning,* urbanisme correspondant à *urban planning* et aménagement rural à *rural planning.* Elle exprime une volonté étatique explicite de transformer l'organisation de l'espace régional ou national par de grandes opérations réclamant de gros budgets et donc des investissements planifiés sur plusieurs années. De telles actions ne sont pas une invention du XXe siècle ; les plus anciennes datent de l'Antiquité chinoise, mésopotamienne, égyptienne, grecque ou romaine. Dès son intégration à l'Empire, la Gaule a fait l'objet de grandes opérations relevant, avant la lettre, de l'aménagement du territoire : réseau de voies carrossables, villes organisées sur un même modèle, centuriations et exploitations latifundiaires. Outre des investissements monétaires importants, de tels aménagements ont mobilisé une abondante main-d'œuvre esclave ou salariée, des moyens techniques perfectionnés (pour l'exploitation et le transport des matières premières, par exemple).

Au Moyen Âge, l'aménagement du territoire est ponctuel, relativement lent et ne relève que partiellement de la volonté de l'État ; digues fluviales, remparts, ports, grands édifices à fonction militaire et politique (châteaux), économique (ponts, halles) ou religieuse (cathédrales, monastères) sont l'œuvre de la noblesse, de la bourgeoisie marchande ou du haut-clergé régulier ou séculier. C'est le réseau des bastides, ces villes nouvelles nées dans le Sud-Ouest, aux XIVe et XVe siècles, de la concurrence du roi de France et du roi d'Angleterre, qui témoigne de la plus forte volonté étatique d'organiser l'espace. L'action change d'échelle et de moyens à partir du XVIe siècle.

LE PALAIS DES ÉTATS DE BOURGOGNE À DIJON

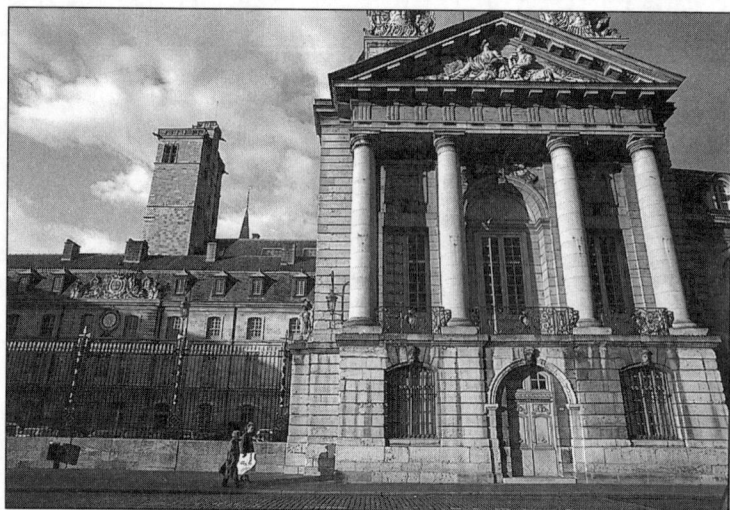

Le palais des États de Bourgogne, à Dijon, construction majestueuse du XVIIᵉ siècle, dans le style versaillais, est plaqué sur l'hôtel ducal et sa tour Philippe le Bon, qui datent du XVᵉ siècle. L'État et la puissance du monarque s'affirment ici clairement dans l'architecture et l'urbanisme.

1. Les prémices d'un aménagement global du territoire

1. Sous l'Ancien Régime

Nostalgiques de l'Empire romain et inspirés par les cités italiennes, les Valois et les deux premiers Bourbon esquissent une politique d'aménagement du territoire. L'urbanisme en est la marque la plus visible : villes nouvelles (Le Havre, Richelieu), places royales, promenades, palais et jardins introduisent en France une nouvelle conception du paysage. L'ordre et la symétrie, appliqués sur des espaces d'abord réduits, y sont au service de la gloire du monarque et de l'État.

La Ligue et la Fronde freinent le mouvement et c'est entre la majorité de Louis XIV et la Révolution que naît une véritable politique d'aménagement imaginée par des hommes tels que Colbert, Vauban ou Turgot, s'appuyant sur une administration centralisée et des corps de fonctionnaires formés par l'État. L'école des Ponts et Chaussées est fondée en 1747, celle des Arts et Métiers en 1780.

Progressivement, l'État se centralise et impose la prééminence de Versailles (et de Paris, son « annexe »). L'aristocratie perd largement son autonomie. Les parlements provinciaux (dans l'ordre chronologique de leur fondation de 1443 à 1775 : Toulouse, Grenoble, Bordeaux, Dijon, Aix, Rouen, Lyon-Trévoux, Rennes, Metz, Artois, Alsace, Flandre, Besançon, Bastia, Nancy) garantissent le maintien de certaines coutumes locales, mais sont placés sous le contrôle étroit des intendants de police, de justice et des finances. Ceux-ci créent le réseau de routes royales centré sur Paris qui permet aux troupes, aux fonctionnaires, au reste de la population, au courrier, aux marchandises de circuler rapidement dans tout le royaume. Certains développent l'agriculture, d'autres se piquent d'urbanisme (Tourny à Bordeaux). La construction des canaux entamée sous Henri IV (canal de Briare) s'étend à tout le territoire, le canal du Midi, réalisé entre 1666 et 1681 par l'ingénieur Pierre-Paul de Riquet et son fils, étant le plus long et le plus spectaculaire par ses ouvrages d'art. Il s'agit là d'une association entre une volonté étatique d'aménagement et des compétences ainsi que, partiellement, des capitaux privés, configuration qui s'est maintenue jusqu'à aujourd'hui (autoroutes). Les descendants de Riquet conservèrent la concession du canal du Midi jusqu'à son rachat par l'État en 1897, curieux exemple d'un contrat entre l'État et un particulier effectif pendant plus de deux siècles, malgré les multiples changements de régimes.

Le paysage urbain porte de plus en plus la marque des innovations inspirées par le pouvoir central et le style parisien : villes fortes de Vauban sur tout le pourtour de la France, places royales, lotissements assortis d'un cahier des charges architectural, rues droites, palais et châteaux de style

LES TRANSFORMATIONS DE LA CAPITALE SOUS LE SECOND EMPIRE

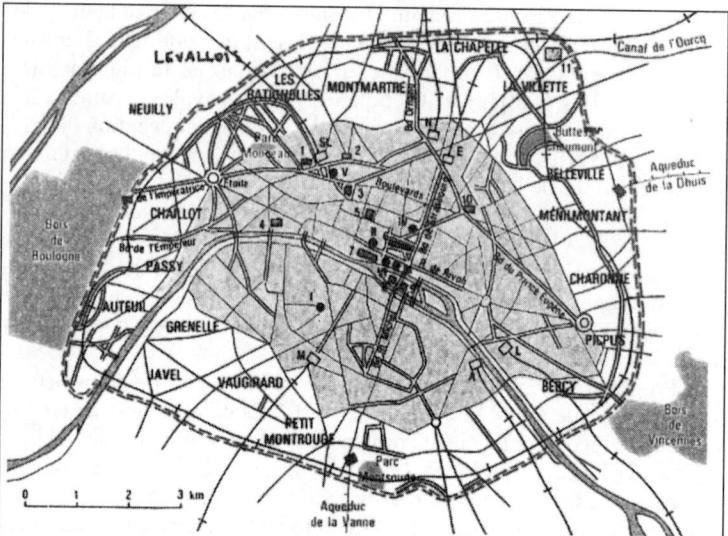

Paris avant 1860

☰☰☰ Enceinte fortifiée de Paris

Espaces verts aménagés sous le Second Empire

┼── Voies ferrées

═══ Voies ouvertes par Haussmann

● Grands magasins créés sous le Second Empire

Au Bon Marché 1852	I
Le Louvre 1855	II
La Belle Jardinière 1856	III
Félix Potin 1858	IV
Au Printemps 1865	V
La Samaritaine 1869	VI

Gares

SL	Saint-Lazare	L	Lyon
N	Nord	A	Austerlitz
E	Est	M	Montparnasse

Principaux édifices construits sous le Second Empire

1 Église Saint-Augustin
2 Église de la Trinité
3 Opéra
4 Palais de l'Industrie
5 Bibliothèque Nationale
6 Halles centrales
7 Achèvement du Louvre
8 Aménagement du Palais de Justice
9 Préfecture de police
10 Caserne du Château d'Eau
11 Abattoirs de la Villette

versaillais, hôtels à cour et jardin, résidences secondaires périurbaines (bastides aixoises, malouinières, folies parisiennes, « maisons » lyonnaises, etc.). Enfin, l'État se préoccupe de la production d'objets stratégiques ou de luxe et crée à cet effet des arsenaux et des manufactures variées dont la plupart resteront des établissements isolés. Il n'y a guère que la Manufacture des cristaux de la Reine, au Creusot, qui précède la constitution de l'un des « Pays noirs » du XIXe siècle. Ces derniers se créeront grâce à des capitaux privés et l'État ne jouera qu'un rôle d'appui dans leur constitution.

2. Au XIXe siècle

Malgré la désorganisation de la période révolutionnaire, la polarisation du territoire ne cesse de se renforcer au fil des régimes successifs. L'amélioration constante du réseau de voies de communication en est l'instrument. Le procédé de l'Écossais MacAdam rend les routes plus praticables en utilisant plus astucieusement des pierres de différents calibres ; le *tarmacadam* (goudron) n'est employé qu'à partir du début du XXe siècle. Après la première ligne ferroviaire Andrézieux-Saint-Étienne (1827), le pays se couvre d'un réseau installé par des compagnies fermières dont les relations avec l'État sont réglées par la loi de 1842. Le plan Freycinet, voté en 1879, décide la construction de 17 000 km de voies ferrées desservant toutes les sous-préfectures (voie normale) et presque tous les chef-lieux de cantons (voie étroite). Les plus petites d'entre elles vivront à peine un demi-siècle ; les lignes abandonnées et les gares reconverties en maisons d'habitation sont aujourd'hui légion.

Sous Napoléon III, l'urbanisme bénéficie d'une attention soutenue de la part du prince. Le préfet Haussmann transforme Paris de fond en comble, en particulier en l'éventrant de larges avenues ; il a des émules dans les grandes villes de province. Aux préoccupations d'ordre politique et social s'ajoutent les principes d'hygiène inspirés des réalisations anglo-saxonnes et le souci de faciliter la circulation hippomobile et les transports en commun qui connaissent, ensuite, un grand essor sous la IIIe République. Le long des nouvelles avenues s'élèvent des immeubles respectant des alignements, des hauteurs et des dessins de façade édictés, dans le cas de Paris, par la préfecture de Police. Plus de 100 000 maisons sont construites dans la capitale sous le Second Empire.

En même temps que sont éventrés de larges pans des tissus urbains hérités du Moyen Âge, émerge la préoccupation du patrimoine. Créée en 1837, sous l'impulsion de Prosper Mérimée, la commission des Monuments historiques tente de sauver un certain nombre de bâtiments exceptionnels, sans se préoccuper de leur contexte, mais l'imprécision juridique freine encore longtemps l'action de l'État.

LE MÉTRO PARISIEN
(TRONÇON AÉRIEN)

Cette réalisation de la IIIe République tend à améliorer les transports en commun dans la capitale.

2. Réalisations et idées de la IIIe République

1. Naissance de la planification urbaine

La loi de 1884 sur les communes impose à celles-ci de se doter de plans de nivellement et d'alignement et celle de 1902 sur la santé publique impose le permis de construire dans les villes de plus de 20 000 habitants, mais il faut attendre 1912 pour qu'un projet de loi de planification urbaine soit déposé au Sénat. Les réticences de la haute assemblée et la guerre en retardent le vote jusqu'en 1919. Cette loi, dite Cornudet, impose un « plan d'aménagement, d'embellissement et d'extension » aux communes de plus de 10 000 habitants, à celles qui s'accroissent rapidement et à toute une série de villes « sensibles » (touristiques, pittoresques, détruites par la Grande Guerre). Les lotisseurs sont également tenus de déposer un plan. L'application de ce texte demeura très approximative, malgré plusieurs lois complémentaires votées dans l'entre-deux-guerres.

2. Le rôle de la Première Guerre mondiale

En raison de la présence du front au nord et au nord-est, un certain nombre d'industries stratégiques se sont installées hors des vieilles régions industrielles. Paris bénéficie d'implantations d'usines d'automobiles et d'aéronautique, mais dans ce dernier domaine, ainsi que celui de la chimie, Toulouse est choisie comme principal pôle, du fait de son éloignement du théâtre des opérations. La ville a conservé cette fonction industrielle jusqu'à aujourd'hui en y ajoutant l'aérospatiale, prouvant ainsi que la situation d'une ville est moins importante que la volonté des entrepreneurs en matière d'activité économique. Clermont-Ferrand, siège de Michelin depuis 1889, en est un autre exemple.

En 1918, est promulguée la loi Chauveau, inspirée par les destructions du Nord et du Nord-Est : elle reconnaît l'utilité publique du remembrement, mais conditionne sa réalisation à l'accord des propriétaires, ce qui explique que 685 communes seulement ont bénéficié de ses dispositions.

3. La loi Loucheur

Dictée par la volonté de satisfaire les nouvelles classes moyennes urbaines, population d'ouvriers qualifiés et de petits employés, cette loi de 1928 permet à l'État de prêter de l'argent sans intérêt en vue de la construction d'habitations à bon marché (HBM) destinées à la location ou de pavillons en pleine propriété. Dans les dix années qui précèdent la Seconde Guerre mondiale, 220 000 logements sont construits dans le

LES PRESCRIPTIONS DE LA CHARTE D'ATHÈNES EN MATIÈRE DE PATRIMOINE HISTORIQUE DES VILLES

• *Les valeurs architecturales doivent être sauvegardées (édifices isolés ou ensembles urbains).* [...]

• *Elles seront sauvegardées si elles sont l'expression d'une culture antérieure et si elles répondent à un intérêt général...*
La mort, qui n'épargne aucun être vivant, frappe aussi les œuvres des hommes. Il faut savoir, dans les témoignages du passé, reconnaître et discriminer ceux qui sont encore bien vivants. Tout ce qui est passé n'a pas, par définition, droit à la pérennité ; il convient de choisir avec sagesse ce qui doit être respecté. [...]

• *Si leur conservation n'entraîne pas le sacrifice de populations maintenues dans des conditions malsaines...*
Un culte étroit du passé ne saurait faire méconnaître les règles de la justice sociale. Des esprits, plus soucieux d'esthétisme que de solidarité, militent en faveur de la conservation de certains vieux quartiers pittoresques, sans se soucier de la misère, de la promiscuité et des maladies que ceux-ci abritent. [...]

• *S'il est possible de remédier à leur présence préjudiciable par des mesures radicales : par exemple, la déviation d'éléments vitaux de circulation, voire même le déplacement de centres considérés jusqu'ici comme immuables.* [...]

• *La destruction de taudis à l'entour des monuments historiques fournira l'occasion de créer des surfaces vertes.* [...]

• *L'emploi de styles du passé, sous prétexte d'esthétique, dans les constructions neuves érigées dans les zones historiques, a des conséquences néfastes. Le maintien de tels usages ou l'introduction de telles initiatives ne sera toléré sous aucune forme.*
De telles méthodes sont contraires à la grande leçon de l'histoire. Jamais un retour en arrière n'a été constaté, jamais l'homme n'est revenu sur ses pas. Les chefs-d'œuvre du passé nous montrent que chaque génération eut sa manière de penser, ses conceptions, son esthétique, faisant appel, pour servir de tremplin à son imagination, à la totalité des ressources techniques de l'époque qui était sienne. Copier servilement le passé, c'est se condamner au mensonge, c'est ériger le « faux » en principe, puisque les conditions anciennes du travail ne sauraient être reconstituées et que l'application de la technique moderne à un idéal périmé n'aboutit jamais qu'à un simulacre dénué de toute vie. En mêlant le « faux » au « vrai », loin d'atteindre à une impression d'ensemble et de donner le sentiment de la pureté de style, on n'aboutit qu'à une reconstitution factice juste capable de jeter le discrédit sur les témoignages authentiques qu'on avait le plus à cœur de préserver.

Source : Le Corbusier, *La Charte d'Athènes* (1941), Paris, © 1957 by les Éditions de Minuit.

département de la Seine, dont 40 000 HBM. Ces derniers immeubles, plus ou moins inspirés des cités-jardins anglaises, mais en hauteur, enserrent encore Paris sur l'ancienne zone *non aedificandi.*

4. L'enthousiasme pour la planification

Dès avant la dernière guerre, certains intellectuels et décideurs politiques ou économiques envient la planification soviétique dont les médiocres résultats sont occultés par Moscou. D'autres, ou parfois les mêmes, se passionnent pour les expériences d'aménagement global du territoire menées aux États-Unis dans le cadre du *New Deal.* La Tennessee Valley Authority, dans le Vieux-Sud des États-Unis, est une incontestable réussite qui fascine par son caractère intégré : hydroélectricité, irrigation, navigation, industrialisation. À partir de 1934, la Compagnie nationale du Rhône (CNR) tente d'appliquer la même recette, avec un certain succès.

La revue *Plans,* créée en 1931, développe des idées essentielles pour comprendre l'après-guerre. Elle prône une modernisation de la France au moyen d'une politique territoriale planifiée sur plusieurs années. Y collaborent en particulier Philippe Lamour et Le Corbusier qui inspireront, plus tard, l'un la politique agricole et rurale, l'autre, par ses idées au moins, la politique urbaine. Le Corbusier croit que l'application de quelques règles simples peut faire des villes des lieux de beauté et de félicité sociale : zonage strict, grands immeubles de béton noyés dans la lumière et non alignés le long des larges voies de circulation, destruction massive de l'héritage du passé. Au cours du Congrès international d'architecture moderne, tenu en 1933 sur un paquebot au large d'Athènes, un certain nombre d'architectes jettent les fondements d'une théorie valable sous tous les cieux et pour toutes les sociétés. Le Corbusier rédige d'une plume ferme le compte-rendu de cette réunion, probablement en accentuant son côté totalitaire : ce sera la *Charte d'Athènes,* publiée anonymement en 1941, avec une préface dithyrambique de Jean Giraudoux.

5. L'aménagement du territoire sous Vichy et pendant la Reconstruction

Nul doute que pour une partie de l'entourage de Pétain, la ville – et le mode de vie qu'elle suscite – soit en partie responsable de la défaite. Le retour à la terre apparaît non seulement comme un choix conjoncturel nécessaire, face à la pénurie, mais comme une clé du nouvel ordre moral. C'est l'origine de toute une série de mesures en faveur de l'agriculture, dont la loi de 1941 sur le remembrement. Celle-ci doit permettre une extension de cette pratique. Elle institue une commission

UNE VOLONTÉ D'UNIFORMISATION DE LA FRANCE

À Saint-Dié, en 1945, l'Association des sinistrés s'opposa au projet de reconstruction « simple et rationnel » préparé par Le Corbusier. Elle réclamait « des maisons faites en pierre des Vosges ». Son représentant accueillit le ministre de la Reconstruction, Raoul Dautry, par ces mots : « À Saint-Dié, nous avons été sinistrés deux fois... la première fois par les Boches et la seconde par vous. » Il faut dire que les six énormes immeubles imaginés par le père de l'architecture « moderne » avaient de quoi effrayer. La CFTC locale publia une déclaration où elle « rejette l'ensemble des conceptions collectivistes de M. Le Corbusier dans ses constructions en hauteur, pareille réalisation amenant la spoliation totale des petits propriétaires sinistrés au profit des trusts de l'habitation et ne permettant pas l'épanouissement total de la famille, cellule initiale et essentielle de la société ». La CGT fit chorus. Le conseil municipal refusa le plan Le Corbusier pour adopter un plan « passéiste ».

Un tel comportement, qui semble aujourd'hui tout à l'honneur de la démocratie locale, était jugé à l'époque totalement obscurantiste. À partir de 1950, l'alliance des architectes et de l'Administration fit prévaloir partout la logique « moderne » de la table rase et des grandes opérations. C'est ainsi que les Trente Glorieuses, si positives pour l'économie française, se révélèrent catastrophiques sur le plan de l'utilisation du territoire national. Les villes doublèrent ou triplèrent de surface, mais s'enlaidirent. Elles furent cernées par de vastes banlieues où se côtoyaient l'excès d'ordre des cités nouvelles et le désordre environnant.

Source : Gérard de Senneville, *La France retrouvée*, Paris, © Albin Michel, 1993.

communale donnant l'initiative aux exploitants (et non plus aux propriétaires) et aux pouvoirs publics. Elle sera confirmée par ordonnance
en 1945.

Malgré le caractère agrarien de la Révolution nationale, l'urbanisme
n'est pas négligé pour autant. En 1943 est promulguée une loi, elle aussi
confirmée en 1945, qui institue une délégation à l'Équipement national,
administration qui préfigure le ministère de la Reconstruction, puis ceux
de l'Urbanisme, du Logement, de la Construction, de l'Équipement. Le
permis de construire devient obligatoire. La procédure des plans d'urbanisme se précise. Elle relève essentiellement de l'État, ce qui sera le cas
jusqu'aux lois de décentralisation de 1982-1983, c'est-à-dire pendant la
plus active période d'urbanisation de l'histoire de la France.

Les idées de l'urbanisme international contenues dans la *Charte
d'Athènes* ont convaincu la plupart des intellectuels et des décideurs
politiques (Jean Giraudoux, Raoul Dautry, Eugène Claudius-Petit,
parmi les premiers), des architectes et des urbanistes de toutes sensibili-
tés. Elles représentent en outre une facilité pour les ingénieurs et les
constructeurs par leur exaltation des formes minimalistes et des techniques industrielles. La prééminence de l'État en matière d'urbanisme,
imaginée par Vichy et renforcée par la suite, explique donc le caractère
très stéréotypé des villes reconstruites (Brest, Le Havre, Maubeuge,
etc.) et surtout des grands ensembles surgis de terre pendant les
« Trente Glorieuses ». La procédure des Zones à urbaniser en priorité
(ZUP), instituée en 1958, sera utilisée 195 fois pour construire
800 000 logements. Elles constituent aujourd'hui, pour l'essentiel, des
banlieues sans attrait, à l'architecture souvent dégradée, et elles cristal-
lisent le mal de vivre d'une partie de la population française. L'argu-
ment selon lequel les besoins nés de la reconstruction, de la croissance
économique et urbaine, du *baby boom,* puis, plus tard, du rapatriement
d'un million de Français d'Algérie exigeaient ce choix ne résiste pas à
l'analyse : à rapidité et à prix égaux, des solutions d'habitat individuel,
semi-collectif ou même collectif à visage humain étaient possibles. Les
HBM d'avant-guerre l'avaient démontré. Les idées de Fernand Pouillon
ou de Jacques Riboud pouvaient être appliquées, mais les principes sec-
taires de la *Charte d'Athènes* l'emportèrent.

3. La création de la DATAR

En 1947 paraît un livre dont le titre aura un retentissement immense sur
des générations d'élus, de hauts fonctionnaires, d'intellectuels : *Paris et
le désert français* (Flammarion). Son auteur, Jean-François Gravier, est
un jeune démographe, collaborateur de Jean Monnet au Commissariat
général du Plan. Il y dénonce le monopole qu'exerce la capitale en bien

LE SCÉNARIO DE L'INACCEPTABLE

La France de l'an 2000 imaginée par la DATAR en 1971

Dunkerque
Calais
Boulogne-sur-mer
Béthune
Douai
Le Havre
Rouen
Lille
Valenciennes
Sarreguemines
Reims
Metz
Strasbourg
Caen
Paris
Châlons
Brest
Nancy
Rennes
Le Mans
Chartres
Auxerre
Besançon
St Nazaire
Orléans
Chalon
Bâle
La Baule
Tours
Bourges
Mâcon
Nantes
Poitiers
Clermont-Ferrand
Lyon
Annecy
Limoges
St-Etienne
Chambéry
Bordeaux
Brive
Grenoble
Valence
Montauban
Nîmes
Bayonne
Montpellier
Aix
Nice
Toulouse
Pau
Narbonne
Béziers
Marseille
Tarbes
Perpignan

0   100 km

Zone de polarisation

• Pôle de la zone

Ville sous la relative dépendance de la zone

Source : DATAR.

des domaines de la vie économique, politique, culturelle du pays et plaide pour un vigoureux rééquilibrage. Dès lors, les idées girondines commencent à progresser, même si, aujourd'hui encore, elles sont loin de dominer. Un rôle prépondérant continue à être joué dans l'aménagement par des élites issues de grandes écoles fort jacobines et économistes : Polytechnique, l'École nationale des Ponts et Chaussées, l'École des Mines, l'École nationale du Génie rural, des Eaux et des Forêts et, les coiffant toutes, l'École nationale d'administration, avec ses deux filières d'accès privilégiées, l'Institut d'Études politiques et l'École normale supérieure.

Jean Monnet devient commissaire général du Plan en 1947 et élabore le premier plan (1947-1953) qui vise d'abord à reconstituer l'industrie lourde à son niveau d'avant-guerre, puis à augmenter la production et la productivité. Il est à l'origine d'une politique d'investissements publics lourds principalement orientés vers la production industrielle. Il faut attendre les plans récents, en particulier le 8e (1981-1985), pour que soient pris en compte la recherche, la formation, la culture, le cadre de vie. À partir de 1950 Monnet s'investit totalement dans la construction européenne dont les effets sont plus politiques et économiques que visibles dans la manière dont le territoire est aménagé.

Dès 1945, une direction de l'Aménagement du territoire est créée au sein du ministère de la Reconstruction. Elle répartit un Fonds national (FNAT) qui esquisse une politique de décentralisation industrielle grâce à des primes : Citroën s'installe à Rennes, l'avion *Caravelle* est construit à Toulouse. L'aménagement du territoire consiste aussi en de grandes opérations mobilisant principalement des capitaux publics affectés depuis Paris : équipement hydro-électrique des Alpes et du Rhône, électrification des grandes lignes ferroviaires, premières autoroutes, compagnies d'irrigation (Bas-Rhône-Languedoc en 1955, canal de Provence, puis SOMIVAC, Coteaux de Gascogne), parcs nationaux à partir de 1960, mission interministérielle pour l'aménagement touristique du Languedoc-Roussillon, secteurs sauvegardés et, bien entendu, ZUP déjà évoquées.

La Délégation à l'Aménagement du Territoire et à l'Action Régionale (DATAR) est fondée en 1963. Rattachée directement au Premier ministre, elle est formée d'une petite équipe de chargés de mission placés sous la responsabilité d'un délégué dont le premier fut Olivier Guichard. Son action est complétée par un Conseil national d'aménagement du territoire que préside Philippe Lamour. Elle a pour objectif majeur de freiner la croissance démographique et économique de la région parisienne et de favoriser la province. Pour répondre à cet objectif, huit métropoles d'équilibre sont créées en 1966 : Lille-Roubaix-Tourcoing, Nancy-Metz, Strasbourg, Lyon-Grenoble-Saint-Étienne, Marseille, Toulouse, Bordeaux, Nantes-Saint-Nazaire. Du fait des aides accordées, la plupart de ces villes connaissent une croissance

LES LOIS DE DÉCENTRALISATION

La loi du 2 mars 1982, dite « loi Defferre », est relative aux droits et libertés des communes, départements et régions. Elle contient trois ruptures : la suppression de tous les contrôles de l'État *a priori*, le transfert du pouvoir exécutif des préfets au département et à la région, la reconnaissance du droit à l'intervention économique.

1. Les actes des collectivités locales sont exécutoires une fois notifiés à l'autorité compétente, c'est-à-dire le préfet, qui n'est plus autorité de tutelle. Disparaît le contrôle *a priori* des actes des conseils municipaux et de leurs maires, des conseils généraux et de leur président. Cependant, en cas de désaccord, le représentant de l'État peut procéder à un recours auprès du tribunal administratif. De même, le citoyen peut procéder à un recours pour suspendre une décision d'une collectivité territoriale auprès du préfet ou du tribunal administratif si le motif est jugé sérieux et de nature à justifier l'annulation. Les actes à caractère financier sont contrôlés par la Cour régionale des comptes.

2. Autre changement considérable, le transfert du pouvoir exécutif du préfet au président du conseil général. Chaque transfert de compétences s'est accompagné des moyens financiers correspondants et des transferts de services de la préfecture vers le conseil général. Enfin, les services extérieurs de l'État sont à la disposition du président pour la préparation et l'exécution des délibérations. La région est consacrée collectivité territoriale de plein droit. Cette assemblée est désormais élue au suffrage universel direct. Le président est détenteur du pouvoir exécutif en lieu et place de l'ancien préfet de région. Aux côtés du conseil régional est installé un comité économique et social, au rôle consultatif.

3. Les communes, les départements et les régions disposent désormais de trois formes d'intervention économique : aides directes, aides indirectes, création de services publics locaux. Les aides directes ont été souvent contestées car jugées trop onéreuses au regard de leur efficacité. La loi de janvier 1988, dite d'« amélioration de la décentralisation », recadre d'ailleurs les interventions économiques. La commune ne peut plus intervenir directement, sauf en milieu rural pour le maintien des services nécessaires à la satisfaction de la population.
La répartition des compétences entre les communes, les départements, les régions et l'État a été fixée par les lois de janvier et juillet 1983. Il n'y a aucune superposition de compétence et donc de tutelle entre les collectivités territoriales. Ce principe conditionne les transferts par blocs de compétences : à la commune, l'urbanisme et la gestion des sols ; au département, l'action sociale et la santé, les collèges de l'enseignement public, les transports scolaires ; à la région, la formation, les lycées et l'aménagement du territoire.
Il y a simultanéité du transfert des compétences et du transfert des ressources. Mais les charges confiées aux régions sont telles que les impôts des collectivités territoriales ont augmenté.

Source : Béatrice Giblin-Delvallet, *L'Histoire,* avril 1991.

certaine, mais sans que soit toujours bien posé le problème de leur relation aux territoires environnants.

Pendant une quinzaine d'années, la réforme régionale gagne du terrain dans les esprits : les comités d'expansion sont créés en 1954, les programmes d'action régionale en 1955, les 22 régions de programme en 1956. La création de régions dotées d'une assemblée et d'un exécutif intervient en 1973.

Les années 1970 sont probablement plus qualitatives que les deux décennies précédentes. Les contrats de développement des « villes moyennes » (1973-1978), la loi sur l'environnement (1976), les zones de rénovation rurale (1978) en témoignent. Il est vrai que les budgets sont plus serrés : les Trente Glorieuses s'achèvent avec la crise du pétrole et celle des activités nées de la première révolution industrielle.

4. La décentralisation : stimulant ou « danseuse » de l'État ?

1. La loi Defferre de 1982

Le général de Gaulle quitte le pouvoir après l'échec qu'il essuie au référendum de 1969 portant sur la réforme du Sénat et sur la régionalisation. En réalité, le vote des Français s'adresse plutôt à sa personne, et la décentralisation est une idée mûre. Il faudra cependant attendre la loi que fait voter Gaston Defferre en 1982 pour que l'État se décharge de certaines prérogatives sur les collectivités territoriales.

En matière d'aménagement, les régions (22 en métropole, 4 outremer) sont appelées à participer aux décisions et au financement concernant certains grands équipements de transport, des zones d'activité, des services publics (lycées, universités, hôpitaux, théâtres, etc.). Les plans qui étaient jusqu'alors intégralement pensés à Paris deviennent des contrats de plan État-régions. Certes, la DATAR et les grandes administrations continuent à peser de tout leur poids sur les décisions prises, mais les régions parviennent à fléchir l'État sur nombre de projets. On l'a vu, par exemple, en 1991, avec l'adoption du plan Université 2000, fonctionnant sur le mode des contrats de plan. L'État aurait souhaité limiter la dispersion coûteuse des établissements universitaires. Les régions et, derrière elles, les autres collectivités, ont obtenu que chaque ville moyenne de France bénéficie qui d'un IUT, qui d'une antenne universitaire, qui encore d'une université de plein exercice, pour le plus grand prestige des élus, mais probablement pas pour le meilleur usage des deniers publics et la meilleure formation possible des étudiants. En effet, le modèle Princeton d'une université prestigieuse à la campagne n'est guère transposable en France. Rappelons que l'École polytechnique

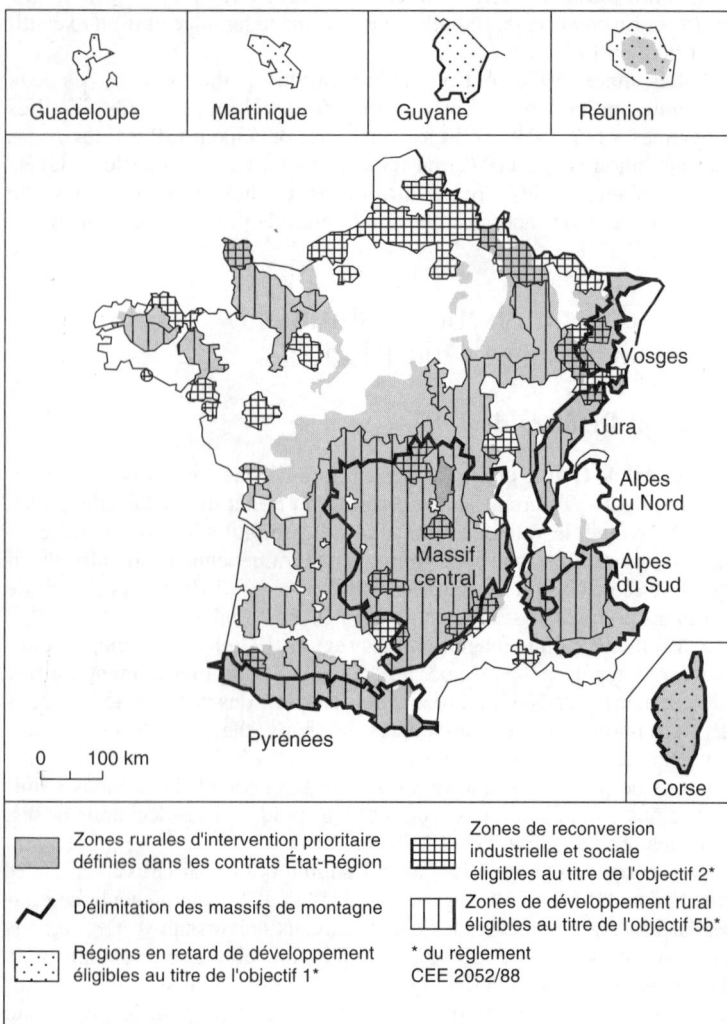

LES ZONES D'APPLICATION DES PROGRAMMES EUROPÉENS ET NATIONAUX DE DÉVELOPPEMENT

Guadeloupe Martinique Guyane Réunion

Vosges
Jura
Alpes du Nord
Alpes du Sud
Massif central
Pyrénées

0 100 km

Corse

Zones rurales d'intervention prioritaire définies dans les contrats État-Région

Délimitation des massifs de montagne

Régions en retard de développement éligibles au titre de l'objectif 1*

Zones de reconversion industrielle et sociale éligibles au titre de l'objectif 2*

Zones de développement rural éligibles au titre de l'objectif 5b*

* du règlement CEE 2052/88

Source : DATAR, 1989.

92

RÉPARTITION DES COMPÉTENCES
SELON LA LOI DEFFERRE DE 1982

	Communes	Départements	Régions	État
Urbanisme	POS Délivrance des permis de construire			Protection du patrimoine architectural
Routes	Chemins communaux	Routes départementales		Autoroutes et routes nationales
Voies navigables			Aménagement et exploitation des ports fluviaux et des voies navigables	
Ports maritimes	Ports de plaisance	Ports de commerce et de pêche		Ports d'intérêt national
Enseignement public	Écoles élémentaires et classes maternelles	Collèges et organisation des transports scolaires	Lycées et établissements d'éducation spéciale	Universités
Formation professionnelle			Apprentissage et formation professionnelle	
Aides à l'aménagement rural et environnement		Octroi des aides à l'électrification rurale, au remembrement, aux travaux hydrauliques, aux équipements touristiques	Parcs naturels régionaux	

Source : Jérôme Monod et Philippe de Castelbajac, *L'Aménagement du territoire,*
Paris, © PUF, 1987.

L'AVENIR DES RÉGIONS

Ainsi donc, la France s'éloigne de l'ère napoléonienne. Mais la régionalisation et la décentralisation y sont-elles les amorces d'une nouvelle politique ? Les termes de « décentralisation » et de « subsidiarité », hautement proclamés depuis dix ans, ne reçoivent pas dans l'exemple français la même acception que celle qu'ils ont dans d'autres États, qu'ils soient fédéraux (comme la RFA) ou centralisés (comme l'Italie ou l'Espagne).

Ni exclusivement centralisatrice, ni résolument fédératrice, la France en cette fin de XXᵉ siècle se rapprocherait-elle des États régionalistes (Espagne, Belgique) qui l'environnent ? Rien n'est moins certain.

En Espagne, l'État a partagé un nombre toujours plus important de fonctions avec les Communautés autonomes ; en Belgique, l'État s'est progressivement démembré. Dans un cas comme dans l'autre, l'État se limite de plus en plus à la régulation d'ensemble. Ce qui est encore loin d'être le cas de l'État, en France.

En revanche, quelle évolution depuis vingt ans ! Lorsque l'idée régionale, en France, semblait à jamais condamnée après l'échec du projet de loi référendaire en avril 1969.

C'est pourquoi, on peut raisonnablement espérer que l'avenir des régions est devant elles. Le processus d'intégration qui caractérise l'évolution de l'Union européenne les aidera probablement à le construire.

Source : Bruno Rémond, « Le pouvoir des régions », *Sciences humaines*, nᵒˢ 5-8, février-mars 1995, p. 16.

IL N'Y A PLUS DE VRAIS BANQUIERS EN PROVINCE

Le système financier français est extraordinairement centralisé. Totalement l'inverse du système allemand. Dans un fond de province allemand, on peut avoir ses enfants dans la même école que ceux d'un conseiller du comité de politique monétaire du pays, car dans chaque grande cité résident des spécialistes de la Bundesbank. Ils sont de toutes les réunions locales et, habitant sur place, ils partagent le sort des gens. En France, les équivalents de ces experts s'entassent tous dans deux arrondissements huppés de Paris et « descendent » de temps à autre, l'espace d'une journée, pour se plonger dans un dossier local.

Je suis le seul inspecteur des finances de France qui ne réside pas à Paris. Les pouvoirs publics ont fait de gros efforts de décentralisation concernant la gestion d'équipements, comme par exemple les établissements scolaires. Mais, simultanément, on a assisté à un énorme renforcement de la centralisation économique. Sièges sociaux, cadres supérieurs, experts financiers ont quitté la province. On s'achemine vers un système où les fonctions de direction et de services sont dans la capitale, les usines et les employés en province. Chaque départ de cadres est un appauvrissement du tissu social.

Source : Jean Weber, *L'Expansion - Challenges*, mai 1996.

ou HEC sont effectivement situées en plein champ, mais à quelques stations de RER du cœur de Paris. La très haute qualité universitaire implique beaucoup d'argent (laboratoires, bibliothèques) et la France a dans ce domaine un grand retard à rattraper sur les pays d'Europe du Nord (30 millions de livres dans les bibliothèques universitaires, contre 122 en Allemagne). Ajoutons qu'un environnement culturel riche (théâtres, salles de concert, cinémas, lieux de sociabilité) fait partie des traditions académiques des pays d'Europe.

Les limites de la décentralisation se remarquent également dans la démesure de certains équipements de prestige : conseils régionaux, palais des congrès, salles d'opéra, etc. Par exemple, la concurrence Montpellier-Nîmes dans les années 1980 et 1990 a entraîné dans chacune de ces villes une débauche d'architecture futuriste et souvent sous-utilisée (Corum de Montpellier). Il est vrai qu'au cours de la même période Paris a donné en la matière le ton à toute la France...

La loi de décentralisation et ses décrets d'application confient aux départements (96 en métropole, 5 outre-mer) une partie de l'aide à l'aménagement rural, mais ils sont relayés par l'Union européenne, par l'intermédiaire des régions dans les zones défavorisées : en montagne, dans les îles ou dans les secteurs industriels en reconversion.

2. Les régions françaises critiquées

Depuis une bonne décennie maintenant, la DATAR et certains cénacles jugent les régions françaises trop petites. Pour le prouver, il fallait d'abord par un tour de passe-passe persuader le maximum de décideurs que la France est marginale par rapport à des espaces européens jugés plus dynamiques et compétitifs. C'est en 1989 que Jacques Chérèque, ministre de l'Aménagement du territoire, s'appuyant sur une idée de Roger Brunet, lance le concept de « banane bleue ». Celui-ci désigne une portion d'Europe courant du sud de l'Angleterre au nord de l'Italie, en passant par les régions rhénanes et qui serait le cœur ardent du continent. En réalité, le schéma ne fait que souligner les fortes concentrations de population et d'emplois, mais oublie volontairement le rôle mondial de l'Île-de-France. La suite du raisonnement est logique : puisque la France est une périphérie mal intégrée et émiettée, il faut la rendre compétitive en regroupant les régions en quelques grands ensembles qui ont pour jolis noms : « Arc atlantique », « Arc (ou boulevard) méditerranéen », « PLM » et, entre eux, une répulsive « Diagonale aride ». Certains élus (du Poitou ou du Languedoc, par exemple) se sont entichés de ce qu'ils ont pris pour une promotion, mais l'échelon régional résiste bien à ces attaques, ne serait-ce que parce que les investissements dépendent des conseils régionaux ou sont relayés par les préfectures de région.

LOI N° 95-115 DU 4 FÉVRIER 1995 D'ORIENTATION POUR L'AMÉNAGEMENT ET LE DÉVELOPPEMENT DU TERRITOIRE
(extraits)

Art. Iᵉʳ. – La politique d'aménagement et de développement du territoire concourt à l'unité et à la solidarité nationales. Elle constitue un objectif d'intérêt général.

Elle a pour but d'assurer, à chaque citoyen, l'égalité des chances sur l'ensemble du territoire et de créer les conditions de leur égal accès au savoir. Elle a pour objet la mise en valeur et le développement équilibré du territoire de la République.

À cet effet, elle corrige les inégalités des conditions de vie des citoyens liées à la situation géographique et à ses conséquences en matière démographique, économique et d'emploi. Elle vise à compenser les handicaps territoriaux. Elle fixe des dispositions dérogatoires modulant les charges imposées à chacun. Elle tend enfin à réduire les écarts de ressources entre les collectivités territoriales en tenant compte de leurs charges.

Les politiques de développement économique, social, culturel, sportif, d'éducation, de formation, de protection de l'environnement, du logement et d'amélioration du cadre de vie contribuent à la réalisation de ces objectifs.

La politique d'aménagement et de développement du territoire est déterminée au niveau national par l'État. Elle est conduite par celui-ci en association avec les collectivités territoriales dans le respect de leur libre administration et des principes de la décentralisation.

L'État assure l'égal accès de chaque citoyen aux services publics. À cet effet, il détermine l'implantation des administrations publiques, les conditions d'accès à distance aux services publics, la localisation des investissements publics qui relèvent de sa compétence, les obligations des établissements, organismes publics et entreprises nationales placés sous sa tutelle et chargés d'un service public.

L'État et les collectivités territoriales ou leurs groupements incitent les personnes physiques et les personnes morales de droit privé à participer à la réalisation des objectifs d'aménagement et de développement du territoire.

Art. 2. – Le schéma national d'aménagement et de développement du territoire fixe les orientations fondamentales en matière d'aménagement du territoire, d'environnement et de développement durable. […]

Le schéma national propose une organisation du territoire fondée sur les notions de bassins de vie, organisés en pays et de réseaux de villes. […]

Le premier projet de schéma national sera présenté au Parlement dans un délai d'un an à compter de la publication de la présente loi et approuvé par une loi. Les contrats de plan État-région tiennent compte des orientations ainsi arrêtées. […]

Art. 3. – I. – Il est créé un Conseil national de l'aménagement et du développement du territoire, présidé par le Premier ministre, et composé pour moitié au moins de membres des assemblées parlementaires et de représentants élus des collectivités territoriales et de leurs groupements, ainsi que de représentants des activités économiques, sociales, familiales, culturelles et associatives et de personnalités qualifiés. Les membres du Conseil national de l'aménagement et du développement du territoire sont désignés dans des conditions fixées par décret en Conseil d'État.

Le secrétariat général du Conseil national de l'aménagement et du développement du territoire est assuré par le délégué à l'aménagement du territoire et à l'action régionale.

II. – Le Conseil national formule des avis et des suggestions sur la mise en œuvre de la politique d'aménagement et de développement du territoire par l'État, les collectivités territoriales et l'Union européenne. [...]

Art. 10. – Les orientations du schéma national d'aménagement et de développement du territoire sont précisées par des schémas sectoriels dans les domaines. [...]

Ces schémas sectoriels sont établis par décret dans un délai de dix-huit mois suivant la publication de la présente loi.

Art. 11. – Un schéma de l'enseignement supérieur et de la recherche est établi. [...]

Art. 16. – Le schéma des équipements culturels vise à promouvoir les équipements culturels d'intérêt national, régional et local. [...]

Art. 17. – I. – En 2015, aucune partie du territoire français métropolitain continental ne sera située à plus de cinquante kilomètres ou de quarante-cinq minutes d'automobile soit d'une autoroute ou d'une route express à deux fois deux voies en continuité avec le réseau national, soit d'une gare desservie par le réseau ferroviaire à grande vitesse. [...]

II. – Dans un délai de dix-huit mois à compter de la publication de la présente loi, le schéma directeur routier national et le schéma directeur des voies navigables sont révisés et prolongés jusqu'en 2015. Dans le même délai de dix-huit mois, sont établis à l'échéance de 2015, un schéma du réseau ferroviaire, un schéma des ports maritimes et un schéma des infrastructures aéroportuaires. [...]

Art. 34 ter. – Une conférence régionale de l'aménagement et du développement du territoire est créée dans chaque région et dans la collectivité territoriale de Corse. [...]

Elle est coprésidée par le représentant de l'État dans la région et le président du conseil régional. Dans la collectivité territoriale de Corse, elle est coprésidée par le représentant de l'État en Corse et le président du conseil exécutif.

Elle se réunit au moins une fois par an, sur un ordre du jour déterminé conjointement par le représentant de l'État dans la région et le président du conseil régional, pour examiner les conditions de mise en œuvre du schéma régional d'aménagement et de développement du territoire.

Source : *Journal officiel de la République française,* 5 février 1995.

LES MIGRATIONS DE POPULATION
DANS L'ESPACE FRANÇAIS

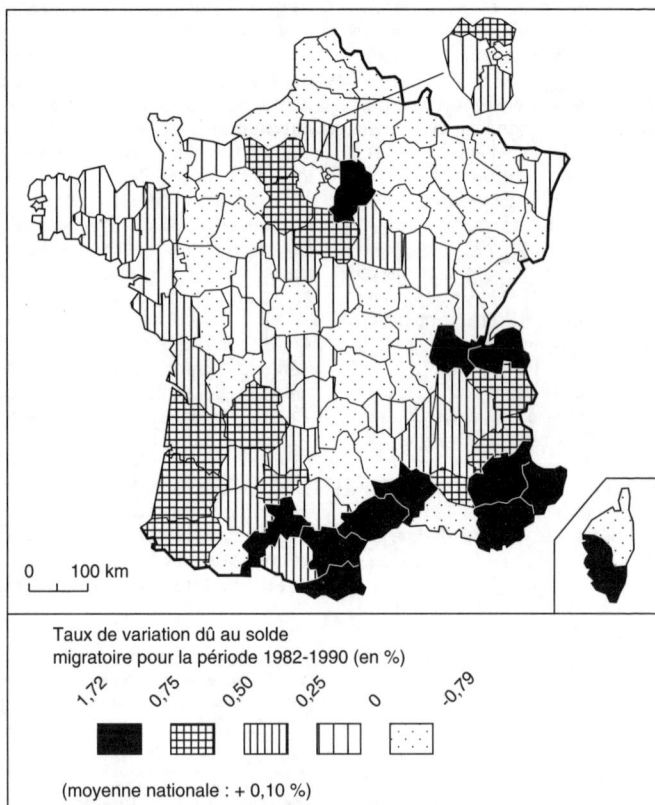

Taux de variation dû au solde
migratoire pour la période 1982-1990 (en %)

1,72   0,75   0,50   0,25   0   -0,79

(moyenne nationale : + 0,10 %)

Source : recensement général de la population ; INSEE.

De cette carte ressortent les chantiers de l'aménagement du territoire pour les années à venir. En dehors de Paris et de sa proche banlieue, il conviendrait de renforcer l'attraction des régions d'où l'on continue à émigrer ou qui stagnent.

3. Les communes méritent-elles de survivre ?

Héritées des paroisses d'avant la Révolution, les 36 711 communes françaises sont aussi nombreuses que celles de tout le reste de l'Europe. Bien des juristes et hauts-fonctionnaires français ou, *a fortiori,* de l'Union européenne, estiment ce chiffre trop important et reprochent à la commune son manque d'efficacité. Pourtant, les incitations au regroupement, vigoureuses dans les années 1960 et 1970, n'ont guère rencontré de succès. Il a même fallu démarier des communes qui avaient fusionné, tant la marche des conseils municipaux était devenue cahotique. La commune fait l'objet d'un attachement sentimental qu'on ne retrouve pas dans les pays voisins de la France, dont les villes ont bénéficié de libertés communales précoces et ont donc plus tôt polarisé le territoire rural (Benelux, Allemagne, Italie du Nord). Elles sont des territoires à échelle humaine dans lesquelles chacun est invité à faire preuve de dévouement et de civisme, car même les communes de moins de 100 habitants (il y en a à 4 000) élisent 9 conseillers municipaux. Elles seules peuvent prendre en charge les micro-aménagements si nécessaires au fonctionnement de l'espace rural : entretien des chemins, des bois, fleurissement, etc. Par ces temps d'individualisme et de technocratie, elles sont un échelon imparfait, mais nécessaire à l'exercice des responsabilités collectives. Elles constituent un volet essentiel de l'identité des Français.

Elles peuvent d'ailleurs bénéficier de l'appui de leurs voisines pour les problèmes qu'elles ne peuvent régler par elles-mêmes : adduction et épuration des eaux, ramassage scolaire, enlèvement des ordures, goudronnage des routes, etc. Toutes ces tâches sont généralement réglées par des syndicats intercommunaux à vocation unique (SIVU) ou, plus souvent, multiple (SIVOM). Depuis 1992, existent également des communautés de communes qui ont pour avantage de pouvoir mettre certaines ressources en commun, dont celles de la taxe professionnelle, bien plus abondantes dans les villes que dans les communes rurales.

Les districts, au nombre de 327, et les 9 communautés urbaines permettent aux agglomérations les plus importantes de fonctionner de manière plus harmonieuse. Les communes leur délèguent la gestion des schémas directeurs d'aménagement et d'urbanisme (SDAU), des plans d'occupation des sols (POS), des réserves foncières, des zones d'activité, etc.

4. Bilan de la décentralisation

Au total, quinze ans après la loi Defferre, peut-on dire que la décentralisation est réelle et que ses avantages sont tangibles ? Il est certain que les assemblées territoriales (conseils municipaux, généraux, régionaux) ont vu leurs pouvoirs se renforcer, aussi bien en matière d'aménagement que dans d'autres domaines. Le budget des collectivités locales atteint aujourd'hui 700 milliards de francs, soit la moitié du budget de l'État. L'apprentissage de ces nouvelles pratiques a donné lieu, on l'a vu, à des excès fâcheux : dépenses ostentatoires et endettement qui en résulte, ou corruption favorisée par le fait que la loi sur le financement des partis ne date que de 1988.

Les administrations centrales pensent en général mieux comprendre les dossiers et les enjeux et freinent autant qu'elles peuvent le processus de décentralisation. Les conflits entre les préfets, devenus commissaires de la République, et les présidents de conseils généraux ou régionaux au sujet de certains équipements (aéroports, palais des congrès, rocades, etc.) en témoignent. Au total, la France sort lentement d'un centralisme qui a traversé les régimes politiques successifs depuis près de cinq siècles. Elle ne semble pas accepter volontiers l'idée d'une Europe des régions qui ferait fi des États-nations pour privilégier l'échelon régional et l'Union européenne. Avec la Grande-Bretagne, dont l'histoire politique et territoriale est comparable, elle résiste en cela à l'Allemagne, à l'Italie ou à la Belgique, pays récemment unifiés dans lesquels l'État est plus discret ou plus contesté.

La loi de 1995 sur le développement du territoire, dite loi Pasqua, a été précédée d'une année entière de débats passionnés dans toutes les instances politiques, administratives, associatives, jusque dans les collèges, les lycées et les universités. La préparation du texte de loi a montré que l'aménagement du territoire intéresse désormais le grand public et qu'il a cessé de relever exclusivement des technocrates. La loi esquisse les principes d'une meilleure justice spatiale, reconnaissant en particulier au monde rural toute son importance. Malheureusement, elle constitue davantage un schéma d'intentions qu'un ensemble de mesures concrètes. Les décrets d'application corrigeront peut-être ce défaut.

5

Le réseau des villes et des voies de communication

Le langage des aménageurs a volontiers recours aux métaphores textiles (tissu, trame, maillage, nœud, etc.) ou géométriques (arc, diagonale, centre). Certes, l'espace est sillonné d'axes de circulation des personnes, des biens, des informations, engendrant là où ils se croisent des pôles généralement urbains. Par ailleurs, tout lieu est au centre d'un espace. Mais les agences de communication des collectivités locales abusent un peu de ce vocabulaire qui fait illusion, car il donne l'impression de continuité, d'harmonie, de centralité idéale (combien de villes se prétendent au cœur de l'Europe ?). Or, comme tout espace, la France est très inégalement organisée par ses voies de communication et ses villes. Pendant longtemps, on a parlé de hiérarchie fortement dominée par Paris. De plus en plus, les villes de taille analogue coopèrent entre elles. Elles se spécialisent dans certaines fonctions, au lieu de se concurrencer. De telles ententes sont plus astucieuses et plus économiques que la dilution des fonctions. Le tertiaire supérieur ne saurait sans gaspillage être saupoudré dans toutes les villes moyennes jugées « bonnes à tout faire ». Il est habile de hisser chaque ville à un niveau d'excellence dans un ou quelques domaines précis. Par ailleurs, l'État ne devrait aider que les projets urbains coordonnés à l'échelle régionale, en évitant d'encourager la concurrence sur des terrains identiques (aéroports, universités, festivals, etc.). Les contre-exemples ne manquent pas : ainsi, les aéroports voisins de Vichy et de Clermont-Aulnat, ou ceux de Nîmes, Montpellier et Béziers.

1. Paris, un poids ou une chance pour la France ?

Montaigne écrivait, il y a plus de quatre siècles : « Paris a mon cœur dès mon enfance. Je ne suis Français que par cette grande cité... incomparable en variété, la gloire de la France et l'un des plus nobles ornements

LES CONCENTRATIONS D'EMPLOIS STRATÉGIQUES

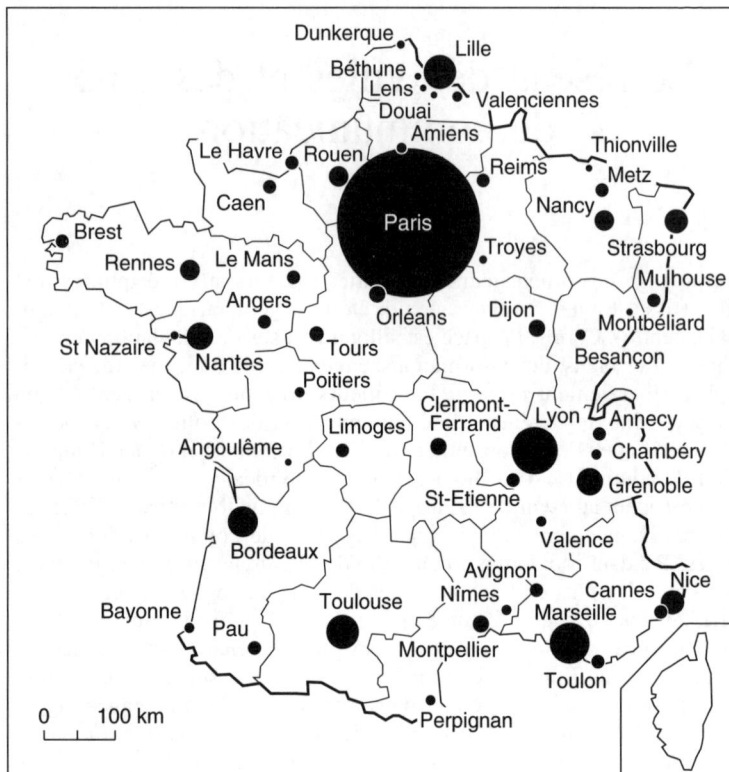

Dunkerque
Lille
Béthune
Lens
Douai
Valenciennes
Le Havre
Rouen
Amiens
Thionville
Reims
Metz
Caen
Nancy
Brest
Paris
Rennes
Le Mans
Troyes
Strasbourg
Mulhouse
Angers
Orléans
Dijon
Montbéliard
St Nazaire
Tours
Besançon
Nantes
Poitiers
Clermont-Ferrand
Lyon
Annecy
Limoges
Chambéry
Angoulême
Grenoble
St-Etienne
Valence
Bordeaux
Avignon
Nîmes
Cannes
Nice
Bayonne
Toulouse
Marseille
Pau
Montpellier
Toulon
Perpignan

0   100 km

Nombre d'emplois stratégiques en 1990
(cadres supérieurs, ingénieurs, chercheurs)

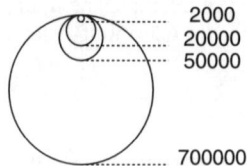

2000
20000
50000

700000

Source : INSEE.

du monde. » Et Michelet, dans le *Tableau de la France,* en 1833 se livre à une envolée romantique : « ... le centre se sait lui-même... pense, innove dans la science, dans la politique ; il transforme tout ce qu'il reçoit. Il boit la vie brute, et elle se transfigure. Les provinces se regardent en lui ; en lui elles s'aiment et s'admirent sous une forme supérieure ; elles se reconnaissent à peine. » C'est dire si la suprématie parisienne est ancienne et si elle repose, d'abord, comme la nation elle-même, sur le sentiment des Français.

1. Concentration progressive du pouvoir de décision

La ponction des nobles effectuée sur la province à partir du règne de Louis XIV explique qu'à la fonction de capitale économique est venue s'adjoindre celle de capitale politique. Paris mettra deux siècles à la monopoliser. Au XVIIIe siècle, toutes les capitales parlementaires sont encore des foyers de richesse, d'innovation et de culture. Au XIXe, la plupart d'entre elles entrent en léthargie, sauf lorsqu'elles disposent d'un atout économique majeur tel qu'une position portuaire (Bordeaux). D'entreprenantes bourgeoisies parviennent néanmoins à créer des empires industriels, bancaires ou des compagnies maritimes à Lyon, à Marseille, dans le Nord, en Lorraine et même dans des villes plus modestes comme Le Creusot (Schneider) ou Clermont-Ferrand (Michelin). À partir de Louis-Philippe et, surtout, de Napoléon III, les sièges sociaux des grandes entreprises s'implantent de plus en plus à Paris qui forme aussi, grâce à son université et ses grandes écoles, l'élite de la nation. Rien d'important ne se décide plus en dehors de Paris, tout au moins en ce qui concerne la haute politique ou la stratégie économique. La décentralisation, on l'a dit, peut redonner des ailes à la province, à l'initiative locale, à la responsabilité individuelle, à condition de le vouloir.

Aujourd'hui, l'Île-de-France, qui regroupe 18 % de la population du pays, occupe la première place dans la plupart des domaines économiques : 21,6 % des actifs, 28 % de la valeur ajoutée nationale, 29 % de la consommation d'énergie, 30 % de la production des biens d'équipement, 33 % de celle du tertiaire marchand, la quasi-totalité du pouvoir financier. Et 57 % des chercheurs publics ou privés y résident.

En lisant ces chiffres, on conçoit que l'« antiparisianisme » se porte toujours bien en province. Pour être juste, il faut aussi considérer les réalités économiques suivantes : la productivité du travail est de 38 % plus élevée en Île-de-France qu'en province. La région capitale fournit 41,2 % des recettes du budget de l'État (35 % de l'impôt sur le revenu, 55 % de l'impôt sur les bénéfices des sociétés). Il n'est donc pas exact d'affirmer que les contribuables provinciaux paient le ticket de métro des Parisiens. Si le revenu brut des Franciliens représente 26 % de celui des Français, après redistribution (budget de l'État, budgets sociaux), celui-ci tombe à 22,1 %, proportion proche de celle des autres actifs.

LA HALLE AUX FRUITS ET LÉGUMES
DU MARCHÉ D'INTÉRÊT NATIONAL DE RUNGIS

Le M.I.N. de Rungis est le plus grand marché alimentaire d'Europe. Il contribue au rayonnement de l'agriculture, de la pêche et de la gastronomie françaises.

Enfin, depuis la fin des années 1960, Paris et sa région ont cessé d'être la pompe aspirante démographique qu'elles furent pendant longtemps. Seules certaines grandes villes de province continuent à perdre des habitants au profit de l'Île-de-France, ce qui ne veut pas dire qu'elles perdent globalement de la population.

2. Avantages et inconvénients d'une métropole géante

Il est vain de songer à transformer radicalement une charpente urbaine en peu de temps, si tant est que celle de la France soit défectueuse. Il est préférable d'imaginer des solutions permettant aux Français d'en tirer le meilleur parti. Développer les villes de province et, plus encore, l'espace rural, est un chantier essentiel de l'aménagement du territoire pour les décennies à venir. Il n'est pas nécessaire pour autant de s'attaquer à Paris et à l'Île-de-France qui peuvent continuer à rendre d'éminents services. D'ailleurs, une attraction si forte, que rien ne paraît pouvoir remettre en cause, repose bien sur quelques avantages reconnus. En voici quelques-uns qui sont autant des manifestations de cette attraction que des facteurs y contribuant. 8 000 entreprises étrangères y ont implanté une filiale. Les deux aéroports desservent 127 pays et accueillent 50 millions de passagers par an. Le réseau de TGV met 250 millions d'Européens à moins de 3 heures de Paris, de cœur de ville à cœur de ville. La Bourse est la 4e du monde. L'Île-de-France est la première agglomération européenne pour les salons (8 sites principaux). Elle a accueilli 407 congrès internationaux en 1992, devant Londres, 2e ville mondiale en ce domaine, qui en a accueilli 185 (selon l'Union des associations internationales). Elle dispose de 16 millions de m^2 de bureaux, plutôt moins cher que dans les autres grandes métropoles mondiales, etc.

Enfin, grâce à ses paysages, son patrimoine, ses lieux de mémoire, de culture et de plaisir, Paris continue à faire rêver la terre entière. Ce facteur autant objectif que subjectif joue beaucoup dans le rayonnement de la capitale, vitrine internationale qui peut profiter à tous les secteurs de l'économie. Un seul exemple : le secteur agricole et agro-alimentaire n'exporterait sans doute pas autant sans le Salon de l'agriculture et sans les épiceries de luxe ou les restaurants gastronomiques parisiens qui sélectionnent et présentent le meilleur de la production nationale. Les nombreuses expositions universelles du XIXe siècle et de la première moitié du XXe siècle avaient déjà, en leur temps, magnifiquement assuré la promotion de la France et de ses productions.

Il va de soi que Paris ne serait rien sans la France, mais la proposition inverse est largement aussi vraie.

LE SCHÉMA DIRECTEUR D'AMÉNAGEMENT ET D'URBANISME DE LA RÉGION PARISIENNE (1965)

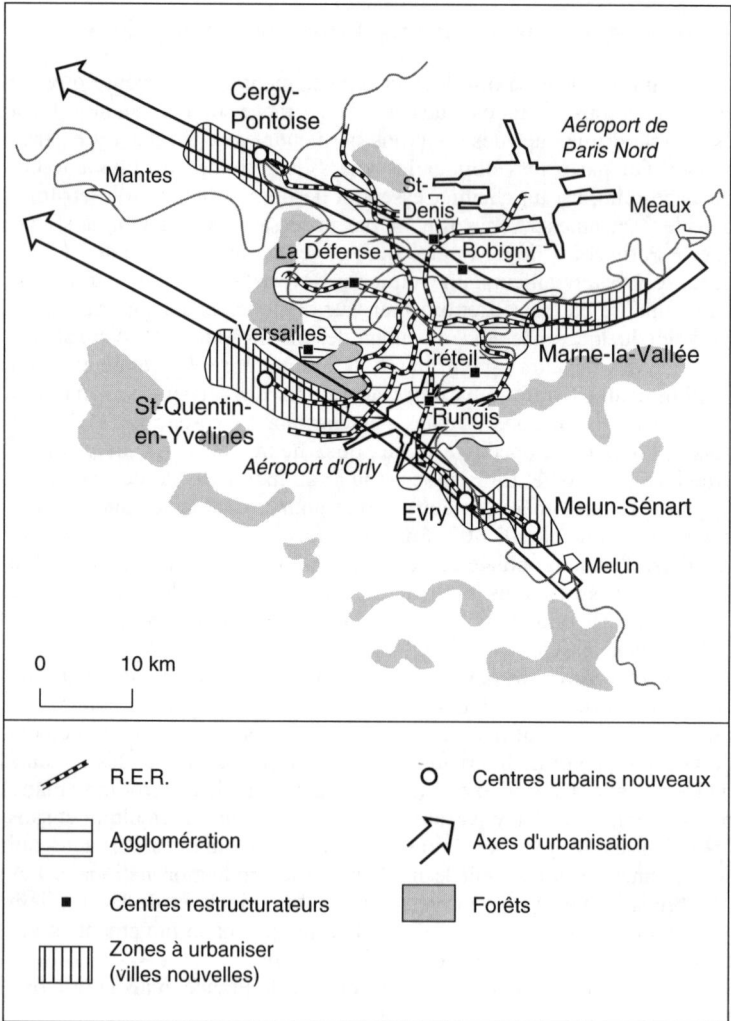

Cergy-Pontoise

Aéroport de Paris Nord

Mantes

Meaux

St-Denis

La Défense — Bobigny

Versailles

Créteil

Marne-la-Vallée

St-Quentin-en-Yvelines

Rungis

Aéroport d'Orly

Evry

Melun-Sénart

Melun

0   10 km

R.E.R.	Centres urbains nouveaux
Agglomération	Axes d'urbanisation
Centres restructurateurs	Forêts
Zones à urbaniser (villes nouvelles)	

3. Paris, laboratoire de l'urbanisme et de l'architecture

Pour toutes les raisons qui viennent d'être énumérées, il est essentiel que l'urbanisme de l'Île-de-France soit bien géré. Si le désordre, la laideur et l'embarras permanent y régnaient en maîtres, c'est tout le pays qui en pâtirait. C'est pourquoi, depuis des siècles, le pouvoir central s'est attaché, non sans mal, ni sans argent, à embellir et à décongestionner la capitale. De Philippe Auguste à Louis XIV et à Napoléon III, les souverains français ont beaucoup investi à Paris *intra muros* et dans ses environs (Vincennes, Fontainebleau, Versailles, etc.). La France, puis l'Europe entières s'inspireront de l'urbanisme parisien.

Le XXe siècle est tout aussi novateur. Cités-jardins et HBM ont fait espérer d'heureuses perspectives en matière d'habitat social. Hélas, vinrent après-guerre les grands ensembles, devenus aujourd'hui les banlieues de la désespérance. Le XIXe siècle s'était contenté de mesures ponctuelles de protection des monuments historiques. La loi Malraux de 1962 permet de sauvegarder des quartiers entiers. Le Marais restauré fait figure de modèle esthétique dans toute la France et à l'étranger. La création monumentale ne cesse pas pour autant d'être ostentatoire : aux bâtiments d'expositions universelles que sont le Grand Palais (1900) ou le Palais de Chaillot (1937) sont venus s'ajouter le Centre Pompidou (1977) et la série d'édifices voulue par François Mitterrand dans les années 1980 et 1990, à proximité de l'axe triomphal est-ouest : Bibliothèque de France, ministère des Finances, Opéra-Bastille, Pyramide du Louvre, Arche de la Défense.

Afin d'éviter une extension en tâche d'huile dont on peut mesurer les effets néfastes dans une métropole comme Tokyo, la région parisienne est dotée en 1965 d'un schéma directeur d'aménagement et d'urbanisme, décidé par le général de Gaulle et réalisé par le préfet Paul Delouvrier. La croissance urbaine est canalisée le long de deux axes parallèles orientés sud-est/nord-ouest, l'un au sud, l'autre au nord de l'agglomération. Cinq villes nouvelles y sont localisées (Cergy-Pontoise, Marne-la-Vallée, Saint-Quentin-en-Yvelines, Évry, Melun-Sénart), censées déconcentrer Paris *intra muros*. L'État pèse de tout son poids pour favoriser leur succès en y implantant préfectures, administrations, grandes écoles, entreprises publiques ou parapubliques. L'effort se poursuit, puisque quatre nouvelles universités y ont été créées dans les années 1990.

Le réseau de transports de l'Île-de-France bénéficie depuis la dernière guerre d'investissements considérables : autoroutes radiales d'abord, boulevard périphérique sur la zone *non aedificandi*, puis deuxième et troisième anneaux plus éloignés (A 86, Francilienne), métro rapide (Réseau express régional) permettant de traverser le centre de Paris en quelques minutes et aux banlieusards les plus éloignés d'y accéder en moins d'une demi-heure, gares d'interconnexion TGV-RER

LE NOUVEAU SCHÉMA DIRECTEUR DE LA RÉGION ÎLE-DE-FRANCE (1994)

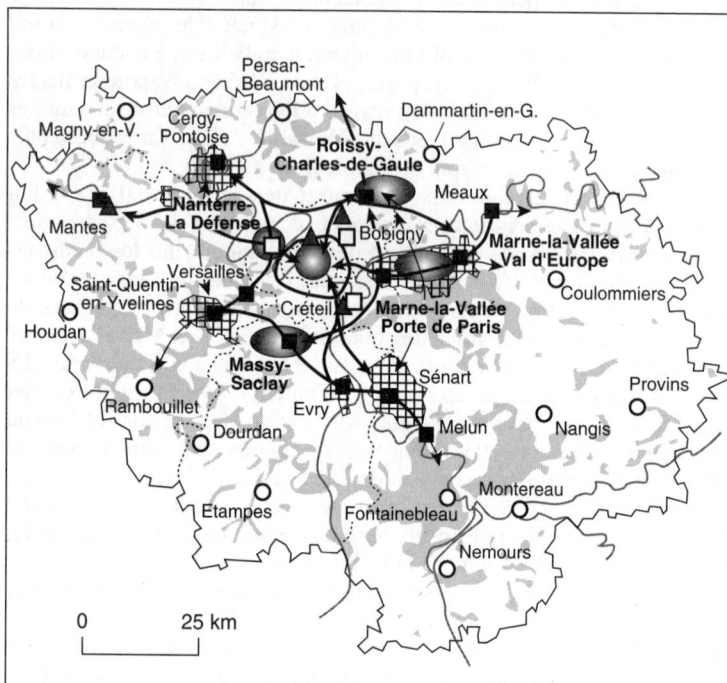

Persan-Beaumont
Dammartin-en-G.
Magny-en-V.
Cergy-Pontoise
Roissy-Charles-de-Gaule
Meaux
Mantes
Nanterre-La Défense
Bobigny
Marne-la-Vallée Val d'Europe
Coulommiers
Versailles
Saint-Quentin-en-Yvelines
Créteil
Marne-la-Vallée Porte de Paris
Houdan
Massy-Saclay
Sénart
Provins
Rambouillet
Evry
Melun
Nangis
Dourdan
Montereau
Etampes
Fontainebleau
Nemours

0   25 km

Légende :

Symbole		Symbole	
⬭	Centre d'envergure européenne	☐	Pôles de proche couronne
▲	Secteurs de redéveloppement économique et urbain	○	Villes trait d'union
⊞	Villes nouvelles	⌒	Principales liaisons
■	Pôles régionaux	▨	Forêts

Source : Direction régionale de l'Équipement.

dont celles de Roissy-Charles-de-Gaulle ou de Chessy-Disneyland Paris renforcent le rôle de plaque tournante de l'Île-de-France.

Après de longues discussions entre l'État, la Ville et la Région, un nouveau schéma directeur, moins novateur et directif que le précédent, est approuvé en 1994. La crise se fait sentir et, surtout, les mentalités ont changé : les grandes opérations planifiées font l'objet de plus fortes contestations de la part d'associations ou des collectivités locales, fortes de leurs nouvelles prérogatives. Pour l'essentiel, le schéma entérine les choix récents : rééquilibrage de Paris et de l'Île-de-France vers l'est (contournement de Paris en TGV par Roissy et Chessy, grandes opérations des XIIe et XIIIe arrondissements, parmi lesquelles l'aménagement du site de l'ancien marché aux vins de Bercy, la ZAC Tolbiac, à proximité de la nouvelle Bibliothèque de France), poursuite de l'effort sur les transports en commun (rocade dite « orbitale » à quelques kilomètres du « périphérique »), définition de cinq centres urbains « d'envergure européenne » : Paris, La Défense, Roissy, Marne-la-Vallée, Saclay-Massy-Orly. De nouveaux espaces deviennent constructibles, mais l'idée de ceinture verte, datant du schéma de 1964, est globalement préservée.

Plus originale se révèle la politique d'ancrage de la région Île-de-France au reste du Bassin parisien, visant à développer les villes situées à une heure de Paris, sans dépendance excessive vis-à-vis de la capitale, ni recherche d'une illusoire autarcie. Les liens qui s'établissent entre l'université de Reims et celle de Marne-la-Vallée ou la construction du troisième aéroport parisien près de Chartres, avec les effets économiques qui en découleront, constituent des exemples de collaborations interrégionales potentiellement bénéfiques.

2. L'originalité du réseau des villes françaises

Hors de Paris, la France n'est pas un désert, ou plutôt, elle l'est de moins en moins, si tant est qu'elle se soit approchée de cette image en 1947 ou plus tard. Toutes les agglomérations urbaines, à l'exception des villes mono-industrielles, sortent renforcées des Trente Glorieuses et des deux décennies en demi-teinte qui ont suivi. Elles sont plus peuplées, leurs activités sont plus diversifiées, leur patrimoine architectural et urbain y est bien mis en valeur, elles bénéficient d'infrastructures de transport de plus en plus efficaces (rocade même dans les plus petites agglomérations, transports en commun dans les moyennes, aéroport dans chaque chef-lieu de département ou presque). Il est faux de penser que la France possède moins de grandes villes que les autres pays européens. Elle compte 32 agglomérations de plus de 200 000 habitants sur 165 en Europe (14 pays), soit 20 %, alors que son poids démographique est de 16 %. Seul manque l'échelon intermédiaire (villes de 2 à 5 millions d'habitants).

LES « RÉSEAUX DE VILLES » AIDÉS PAR LA DATAR EN 1992

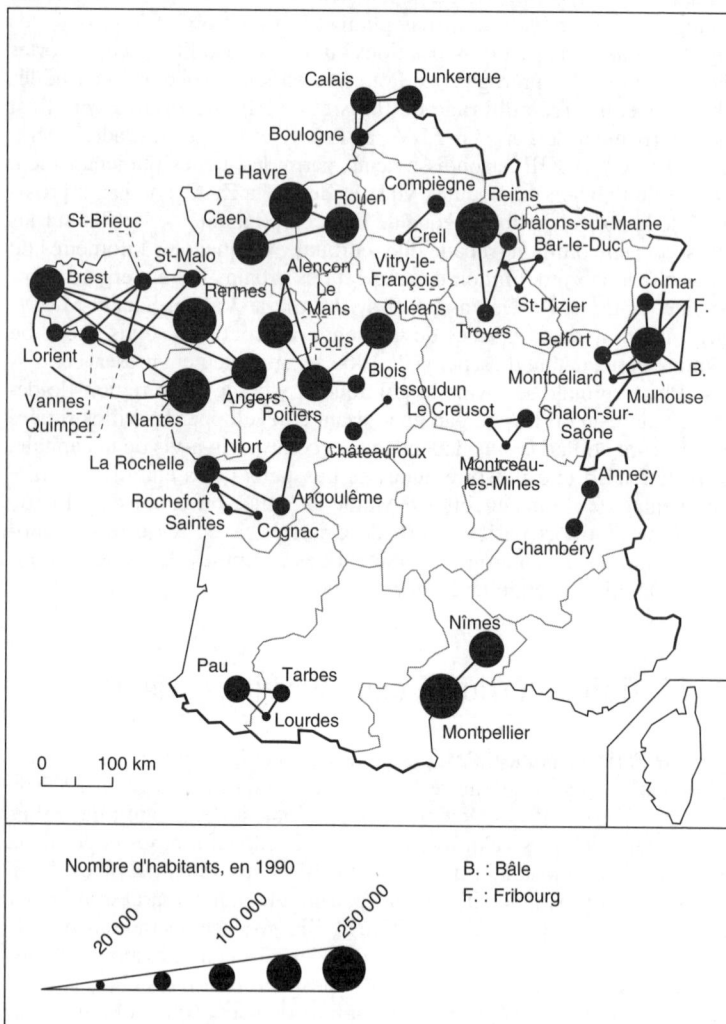

Calais
Dunkerque
Boulogne
Le Havre
Compiègne
Reims
Rouen
Châlons-sur-Marne
Caen
Creil
Bar-le-Duc
St-Brieuc
St-Malo
Alençon
Vitry-le-
François
Colmar
Brest
Le
Mans
F.
Rennes
Orléans
St-Dizier
Tours
Troyes
Belfort
Lorient
Blois
Montbéliard
B.
Vannes
Angers
Issoudun
Le Creusot
Chalon-sur-
Mulhouse
Quimper
Nantes
Poitiers
Saône
La Rochelle
Niort
Châteauroux
Montceau-
les-Mines
Annecy
Rochefort
Angoulême
Saintes
Cognac
Chambéry

Nîmes

Pau
Tarbes
Lourdes
Montpellier

0   100 km

Nombre d'habitants, en 1990

20 000   100 000   250 000

B. : Bâle
F. : Fribourg

Source : DATAR.

110

Les métropoles régionales ont constamment bénéficié d'aides au développement depuis trente ans. Elles ont acquis une visibilité européenne qui manquait à la plupart, en général en se spécialisant dans un petit nombre de domaines d'excellence, tertiaires (mutuelles d'assurances au Mans, recherche à Grenoble, par exemple), mais aussi industriels (aéronautique et aérospatiale à Toulouse, chimie fine à Lyon). En revanche, nombre de villes moyennes que la révolution industrielle avait étroitement spécialisées et rendues vulnérables se sont diversifiées pour leur plus grand profit, en attirant de nouvelles activités (électronique à Colmar et dans ses environs ou à Bayonne, recherche agronomique à Montpellier, par exemple).

L'armature urbaine reflète l'inégalité de la répartition générale de la population. Elle est plus dense à l'est d'une ligne Le Havre-Marseille, ce qui n'implique pas une meilleure qualité de l'organisation de l'espace. Au contraire : les réseaux de villes qu'encouragent la DATAR et l'Union européenne, ces associations volontaires d'agglomérations cherchant à se compléter, sont plus nombreuses et efficaces à l'ouest qu'à l'est et surtout au nord qu'au sud. Ils constituent ce que la loi d'aménagement du territoire appelle des « bassins de vie », notion proche des anciennes « aires d'influence » (espaces dans lesquels s'organisent les migrations alternantes d'employés ou de lycéens, ou les déplacements habituels des consommateurs de services anomaux : médicaux, administratifs, commerciaux). Parfois, une métropole sert de tête de réseau (Reims en Champagne, par exemple). Ailleurs, des villes de poids comparable font alliance (Annecy-Chambéry).

3. Les grandes infrastructures de transports

Le réseau de voies, centré par Rome sur la ville de Lyon, a continué à fonctionner pendant toute une partie du Moyen Âge. Certaines routes actuelles empruntent encore le tracé exact d'une voie romaine : par exemple, les chaussées Brunehaut du nord de la France ou la chaussée Jules César qui traverse la banlieue nord de Paris. Avec l'installation permanente de l'administration de l'État à Paris, à la fin du Moyen Âge, le réseau routier se réorganise en grandes radiales à partir de Paris. Le réseau actuel des voies de communication majeures demeure calqué sur celui des routes de poste de la fin de l'Ancien Régime et du Premier Empire. C'est le signe le plus évident du centralisme parisien. Il est encore préférable de passer par Paris pour aller de Lyon à Poitiers par les transports en commun, et peut-être même aussi par la route.

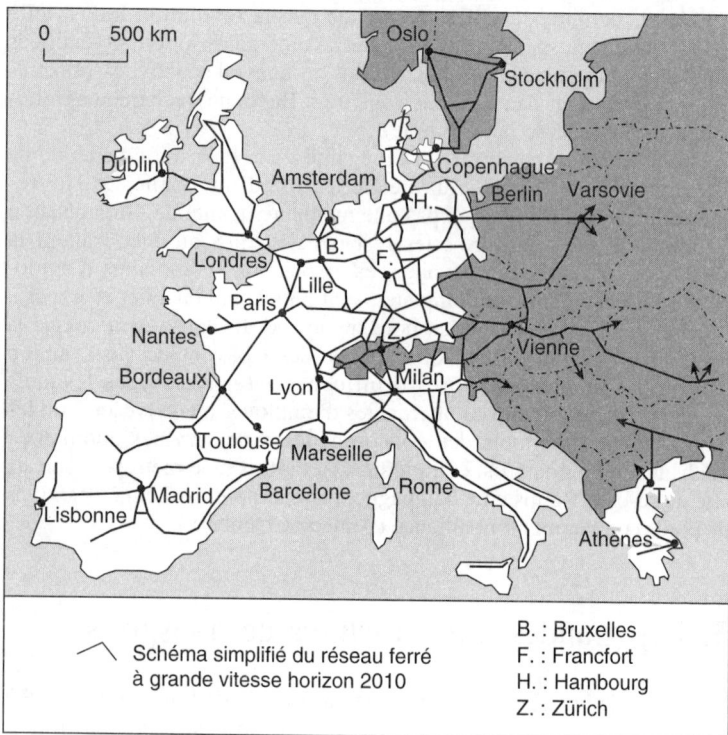

SCHÉMA DU RÉSEAU EUROPÉEN
DE TRAINS À GRANDE VITESSE
À L'HORIZON 2010

Schéma simplifié du réseau ferré
à grande vitesse horizon 2010

B. : Bruxelles
F. : Francfort
H. : Hambourg
Z. : Zürich

Source : SNCF.

1. Les plates-formes aéroportuaires

Le développement de la desserte aérienne du territoire français s'effectue essentiellement en fonction du potentiel de trafic. Si les principales villes de province sont reliées aux métropoles européennes (Londres, Francfort, Bruxelles, Amsterdam, Milan), le passage par Paris pour se rendre à l'étranger demeure presque toujours nécessaire, en dehors de quelques vols charter en période de vacances. Paris assure 87 % du trafic de passagers (52 millions) et 59 % du fret. Nice, Marseille et Lyon viennent très loin derrière avec respectivement 6 millions, 4,7 millions et 4 millions de passagers pour chaque aéroport. Une cinquantaine de villes sont reliées à la capitale au moins deux fois par jour, avec possibilité d'aller-retour dans la journée. En revanche, seule une moitié des lignes radiales sont desservies à cette cadence et elles le sont à des prix dissuasifs, malgré l'aide des collectivités locales. Il est encore trop tôt pour mesurer les effets sur la desserte de l'ouverture du marché à la concurrence européenne.

La polarisation du trafic par Paris se heurte à un handicap sérieux : l'éloignement des deux aéroports. Selon l'heure et le moyen de transport (RER + Orlyval ou automobile), il faut compter de 1 h à 1 h 30 pour aller d'Orly à Roissy-Charles-de-Gaulle, durées de livraison et de réenregistrement de bagages non comprises. En Europe, on ne retrouve cet inconvénient qu'à Londres. En revanche, l'interconnexion aéroport-TGV à Roissy est un avantage. Les atouts de Roissy sont tels qu'une importante zone d'activités s'est créée aux alentours, associant industries de pointe, services aux entreprises, transporteurs terrestres, hôtels d'affaires, parc d'expositions, etc.

2. TGV et lignes à vitesse modérée

Une vingtaine d'années après le Japon, la France est le deuxième pays à avoir choisi de s'équiper d'un réseau ferré à grande vitesse. Ce faisant, elle a acquis dans le domaine de cette technologie une avance sérieuse qui a déjà permis à la SNCF et au constructeur GEC-Alsthom d'exporter leur savoir-faire en Espagne, en Corée et aux États-Unis. La distance de moins de 500 km entre les deux principales villes de Paris et Lyon a sans doute pesé dans ce choix : trop courte pour l'avion, trop longue pour le train normal. Les deux heures du temps de parcours en TGV permettent un aller-retour dans la journée, sans fatigue et sans embouteillage, pour peu que la destination finale soit située au cœur de l'une des deux villes.

Tel qu'il se présente aujourd'hui et surtout tel qu'il sera demain, le réseau TGV constitue une chance pour les régions françaises, un atout capital pour l'intégration européenne et le développement économique. Le Nord-Pas-de-Calais attend beaucoup du tunnel sous la Manche et

LE PROGRAMME AUTOROUTIER

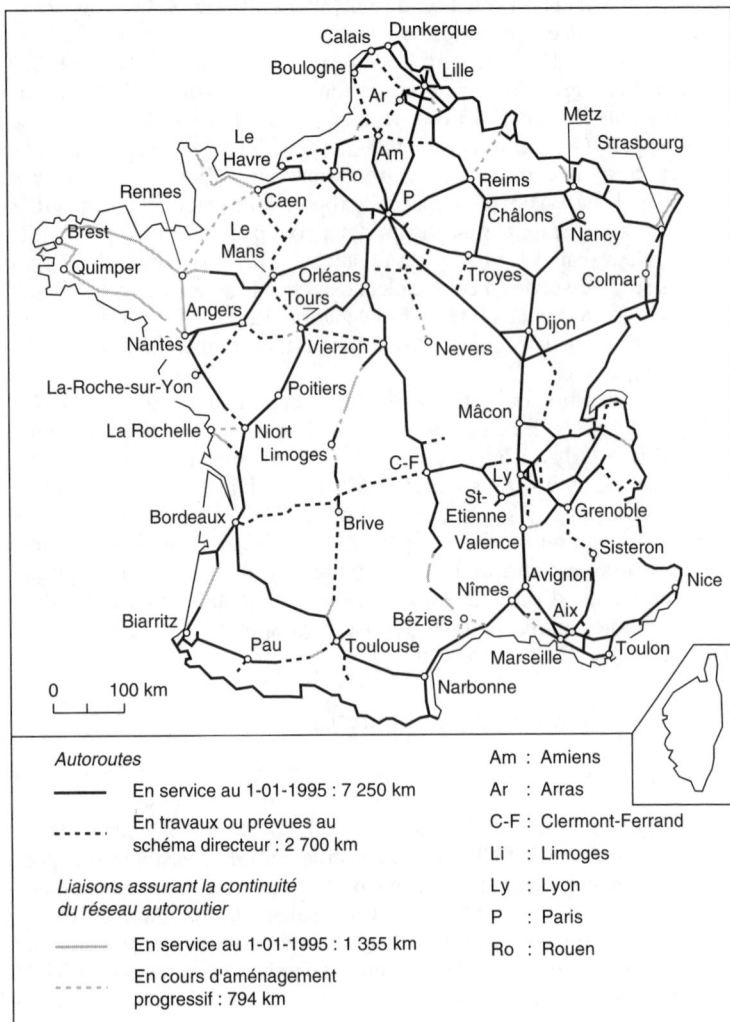

Autoroutes

— En service au 1-01-1995 : 7 250 km

- - - - En travaux ou prévues au
schéma directeur : 2 700 km

*Liaisons assurant la continuité
du réseau autoroutier*

~~~~~ En service au 1-01-1995 : 1 355 km

- - - - En cours d'aménagement
progressif : 794 km

Am : Amiens
Ar : Arras
C-F : Clermont-Ferrand
Li : Limoges
Ly : Lyon
P : Paris
Ro : Rouen

0   100 km

Source : ministère de l'Équipement, des Transports et du Tourisme.

des liens à grande vitesse entre Paris, Londres et Bruxelles. Les effets du TGV sur le développement de certaines villes (Le Mans, Tours) ou certains quartiers de métropoles (Lyon-Part Dieu, Euralille) sont sensibles. En revanche, les gares situées dans de petites villes, voire en pleine campagne (Le Creusot-Montchanin, Mâcon-Loché ou surtout Ablaincourt-Pressoir, en Picardie, dite « la gare des betteraves ») n'ont engendré pour l'instant que des coûts.

Par ailleurs, comme les autoroutes, les lignes TGV créent un « effet-tunnel » qui laisse dans l'ombre toutes les régions traversées. Pour que le territoire soit bien desservi, il faudra donc améliorer le réseau des lignes transversales et d'intérêt local. La loi de 1995 pour l'aménagement prévoit qu'en 2015 aucune partie du territoire métropolitain ne sera située à plus de 50 km ou 45 minutes d'automobile d'une gare TGV, d'une entrée d'autoroute ou d'une route à quatre voies.

Il reste au réseau ferré normal à reconquérir une partie du fret. En effet, celui-ci est transporté aux deux tiers par la route et l'engorgement des autoroutes est tel dans les grands couloirs – la vallée du Rhône, par exemple – que le ferroutage (transport sur rail des camions ou de leur remorque) paraît une solution propre, sûre et économique qui mériterait une incitation. La Suisse fournit à cet égard un excellent modèle : le transit entre l'Allemagne et l'Italie est astreint au ferroutage.

3. Le réseau routier

Il reste le préféré des Français, tant pour le trafic de marchandises (qu'il assurait à 66 % en 1992 contre 53 % en 1983) que pour les déplacements de voyageurs (90 %). Malgré l'amélioration des transports en commun, trop de citadins utilisent quotidiennement leur automobile grâce à laquelle ils s'estiment – souvent à tort – plus libres et plus mobiles.

Petit à petit, la France rattrape le retard qu'elle avait pris par rapport à la plupart de ses voisins (Allemagne, Italie, Benelux) en matière d'autoroutes. Le réseau principal – à péage, pour l'essentiel – avoisine les 10 000 km. Il est complété par 2 500 km de LACRA (liaisons assurant la continuité du réseau autoroutier), routes gratuites à deux fois deux voies et sorties multiples. Ces dernières constituent un outil particulièrement utile de désenclavement des régions à faible densité de population, celles que l'on nomme parfois angles morts du territoire. La Bretagne en a fait l'heureuse expérience dans les années 1960 et 1970. Plus récemment, ce choix a été retenu pour le sud du Massif central. Les régions sont désormais convaincues que les bonnes routes doivent précéder et non suivre le développement économique.

Comme les lignes de TGV ou les aéroports, les nouvelles autoroutes posent un problème nouveau : celui des nuisances. Elles étaient naguère imposées. Aujourd'hui, les riverains s'organisent pour s'y opposer, soutenus par les divers mouvements écologistes. Non que les

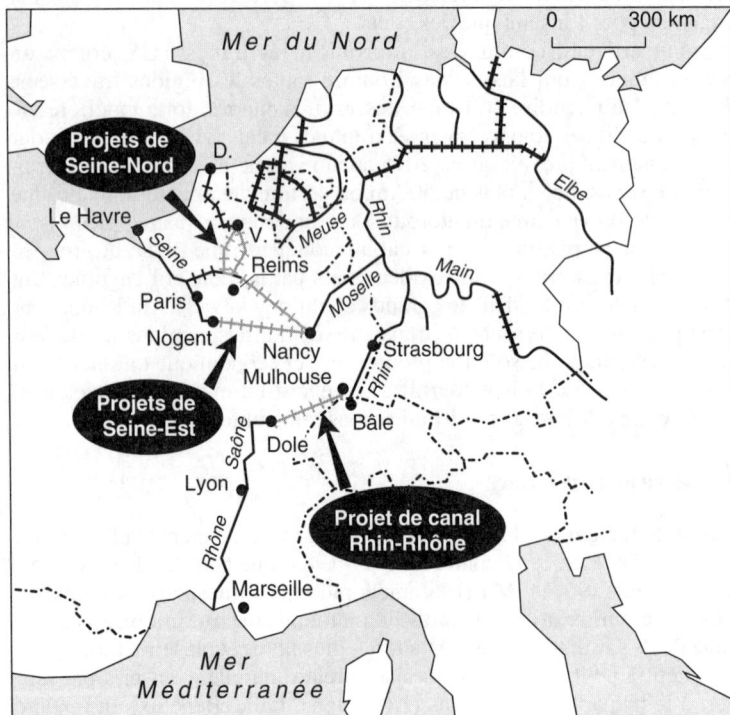

LES GRANDES VOIES FLUVIALES D'EUROPE ET LES PROJETS DE DÉSENCLAVEMENT DU RÉSEAU FRANÇAIS

0   300 km

Mer du Nord

Projets de Seine-Nord

D.

Le Havre

Seine

V.

Meuse

Rhin

Elbe

Reims

Moselle

Main

Paris

Nogent

Nancy

Strasbourg

Mulhouse

Rhin

Projets de Seine-Est

Saône

Bâle

Dole

Lyon

Projet de canal Rhin-Rhône

Rhône

Marseille

Mer Méditerranée

	Fleuves navigables, à grand gabarit	D. Dunkerque
⊢⊢⊢⊢⊢⊢	Canaux existants, à grand gabarit	V. Valenciennes
⊢⊢⊢⊢⊢⊢	Canaux à grand gabarit, en projet	

116

Français refusent le progrès, mais ils le préfèrent dans la commune voisine ! De gros efforts ont été réalisés pour atténuer le bruit : passages en tranchée et en tunnel ou recouvrement dans les zones urbaines, écrans, revêtements silencieux en enrobés drainants.

4. Voies fluviales : vers un renouveau ?

Pionnière à l'époque classique et au XIXe siècle, la France n'a guère cherché à moderniser son réseau de navigation intérieure. Seulement 4 % des marchandises sont transportées sur l'eau, contre 20 % en Allemagne. Or, avec la même énergie, on transporte une charge 10 fois plus lourde sur l'eau que par le rail et 30 fois plus que par la route. Pour le moment, les quatre éléments à grand gabarit (Nord, Seine, Moselle-Rhin, Saône-Rhône) ne sont pas reliés entre eux, ce qui les rend peu efficaces. Malgré certaines oppositions (paradoxalement, écologistes), l'opportune décision a été prise en 1994 d'achever le canal Rhin-Rhône et donc de revivifier la position d'isthme de la France.

5. Les ports

La flotte marchande battant pavillon français est en crise. Elle a rétrogradé du 5e rang mondial en 1975 au 11e aujourd'hui (environ 250 navires de plus de 100 tonneaux). La création d'un pavillon des îles Kerguelen est destinée à enrayer ce déclin, en permettant aux armateurs d'employer des équipages largement étrangers. L'avenir dira si cette décision nécessaire est venue à temps.

La sous-utilisation des ports est à mettre en relation avec ce phénomène, mais aussi avec l'archaïsme du réseau fluvial. Anvers (100 Mt) et Rotterdam (280 Mt) desservent, en effet, l'ensemble du bassin du Rhin, du Main et du moyen Danube. Les ports français vivent principalement du trafic d'hydrocarbures et de produits agricoles. Seulement 2 % des conteneurs du monde débarquent ou s'embarquent en France, moins qu'en Belgique (2,3 %), deux fois moins qu'en Grande-Bretagne ou aux Pays-Bas. Grâce au trafic pétrolier, l'ensemble Marseille-Fos demeure le premier port français (92 Mt). Viennent ensuite Le Havre (55 Mt), qui dispose de l'arrière-pays de l'Île-de-France, puis Dunkerque (37 Mt). Boulogne (3,5 Mt) est le premier port de pêche.

UN PAYSAGE AGRICOLE DE QUALITÉ

Vosne-Romanée, l'un des villages phares de la viticulture bourguignonne de haute qualité. Plusieurs grands crus sont situés sur son territoire (Romanée-Conti, Romanée-Saint-Vivant, Richebourg, La Tâche, etc.).

6

L'espace de la production

L'économie française et son espace sont en cours de reconversion et de modernisation, mais c'est vrai de toute activité économique, en quelque lieu et à quelque moment qu'elle se situe. Ce qui se produit aujourd'hui en France est un phénomène qui affecte tous les pays riches du « Nord » : la sortie de l'ère industrielle et l'entrée dans celle des services, avec les drames humains et les crises locales ou régionales qui s'ensuivent, mais aussi, globalement parlant, une prospérité jamais atteinte et un système de solidarité (maladie, chômage, logement, etc.) auquel peu de pays sont parvenus, malgré ses imperfections, en particulier ses automatismes qui n'invitent pas assez chacun à la responsabilité et à la générosité.

1. L'agriculture : de l'archaïsme au productivisme et à la qualité

Principale activité du pays pendant des millénaires, l'agriculture n'emploie plus que 6,5 % de la population active, contre 30 % vers 1950 et l'âge moyen élevé des exploitants agricoles laisse entrevoir une nouvelle baisse dans les années à venir. Pourtant, elle n'a jamais autant produit. Un agriculteur français nourrit aujourd'hui 45 personnes, contre 7 en 1955. La France est depuis longtemps le deuxième exportateur mondial de produits agro-alimentaires (on a pu parler de son « pétrole vert »), derrière les États-Unis et devant les Pays-Bas. Une telle performance s'explique par la « révolution agricole » entreprise dès la fin de la Seconde Guerre mondiale.

1. Les « révolutions agricoles »

Entamée dès la fin du Moyen Âge, la première « révolution agricole » a consisté à étendre l'espace cultivé au détriment des landes et des bois, à

LES GRANDES ZONES
DE PRODUCTION AGRICOLE

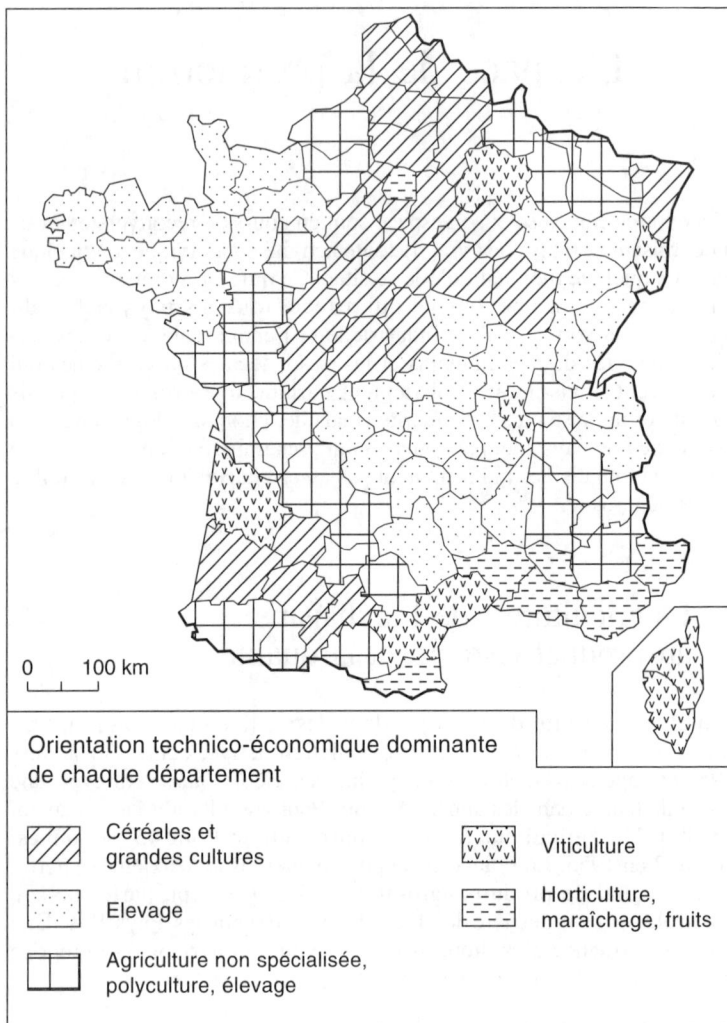

Source : d'après Jean-Paul Charvet, *La France agricole en état de choc,*
Paris, © Liris, 1994, p. 51.

augmenter les rendements (sélection des meilleures variétés de plantes et races animales, plantes nouvelles comme le maïs, augmentation de l'usage de l'engrais naturel, puis introduction de l'engrais chimique, outillage), à supprimer la jachère par l'introduction de plantes fourragères (la trilogie luzerne, trèfle, sainfoin) ou sarclées (betterave, pomme de terre). Elle s'achève vers 1850 par une spécialisation toujours plus grande, sous l'effet de la révolution des transports.

Pendant la dernière guerre, les Français connaissent la disette. Reçu par le général de Gaulle en 1945, Philippe Lamour, alors secrétaire général de la Confédération générale agricole, est interpellé en ces termes : « Que va-t-on faire dans l'agriculture ? » Sa réponse constitue le programme de plusieurs décennies : « D'abord du blé, puis du pain. Nous verrons après. » Aidés par l'État, portés par un marché intérieur et extérieur en pleine expansion, les agriculteurs français accomplissent un effort remarquable. La production de céréales double en dix ans. Les rendements en blé passent de 15 q/ha à 70 aujourd'hui, le maïs de 13 à 80. De 2 000 litres/vache/an, la production laitière passe à 6 000. La consommation évolue, délaissant peu à peu les féculents pour privilégier produits laitiers, viandes, légumes et fruits variés, toujours plus abondants et moins chers, compte tenu de l'augmentation du pouvoir d'achat des Français pendant les Trente Glorieuses.

2. Nouvelles structures, nouveaux paysages

Une telle augmentation de la production n'a été possible que grâce à l'utilisation massive d'engrais, de pesticides, ainsi que de matériel agricole (une large gamme de tracteurs adaptés à chaque sol et chaque culture, par exemple) français ou importé (des États-Unis, d'Allemagne, du Japon), par la sélection de variétés ou de races à haut rendement, grâce aussi à l'apprentisage par les agriculteurs de méthodes de gestion et des principes de l'agronomie productiviste. L'influence américaine a été décisive à cet égard. C'est ainsi, par exemple, que les labours profonds et les engrais permettent à la Champagne naguère « pouilleuse » de porter d'abondantes récoltes et d'être totalement défrichée.

L'exploitation agricole évolue très vite. De 14 ha en 1955, sa taille moyenne passe à 31 en 1990. Il en reste de nos jours 900 000, contre 4 millions en 1929. Moins du quart est constitué de moins de 5 ha, tandis que 5 % dépassent 100 ha et représentent le quart de la surface agricole.

Le statut de l'exploitation est maintenant en majorité le faire-valoir direct : celui-ci représente les deux tiers de la surface agricole utile (SAU). Mais des formes sociétaires d'exploitation adaptées à toutes les situations familiales et financières voient le jour (société civile d'exploitation agricole, groupement agricole d'exploitation en commun, groupement foncier agricole). Le remembrement, encouragé par les lois de

PART DES GRANDES EXPLOITATIONS
(PLUS DE 100 HA)
DANS LA SURFACE AGRICOLE UTILE (SAU)

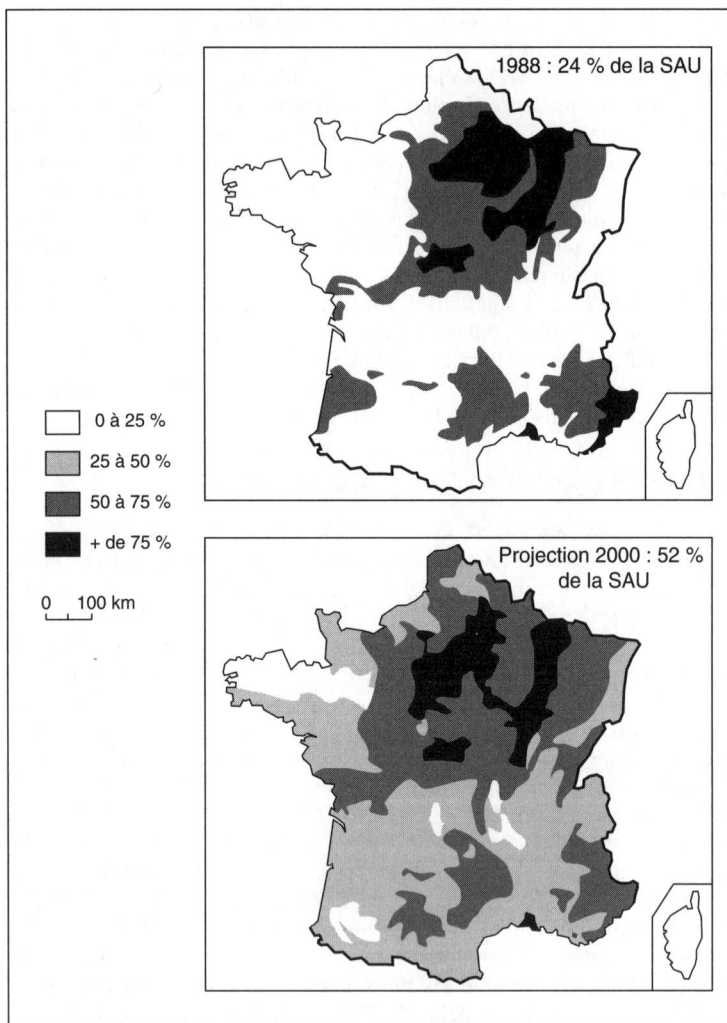

1988 : 24 % de la SAU

Projection 2000 : 52 % de la SAU

0 à 25 %
25 à 50 %
50 à 75 %
+ de 75 %

0   100 km

Source : ministère de l'Agriculture.

1918 et de 1943, a touché près de la moitié de la SAU, surtout dans le nord de la France. La taille des parcelles s'est agrandie, les paysages se sont en partie homogénéisés : on ne trouve plus guère de bocage dense, ni de champs ouverts en lames de parquet (longs et étroits).

Mais ces nouvelles facilités n'ont pas permis au revenu des agriculteurs d'augmenter dans les mêmes proportions que celui des autres professions. En francs constants, il a augmenté d'un tiers entre 1970 et 1992, alors que, pendant la même période, le revenu moyen disponible par habitant a doublé. Les raisons en sont multiples : surendettement, coût très élevé des intrants, concurrence internationale, baisse des prix agricoles en francs constants (– 40 % depuis 1970), alors que le prix des aliments (bruts ou transformés) se maintient. Les jeunes hésitent à reprendre des exploitations et à exercer ce métier difficile qui ne permet guère de loisirs. La moitié des exploitants a plus de 55 ans !

3. Montagne de beurre et fleuve de lait : comment limiter la production ?

La France n'est pas le seul pays à avoir augmenté sa production agricole dans d'aussi fortes proportions. Dans le club des nations riches, il y a surproduction depuis maintenant une vingtaine d'années. L'agriculture a bénéficié de protections de la part de l'État relayé par la Communauté européenne. La Politique agricole commune (PAC) a eu pour but de garantir les prix d'un certain nombre de produits de base, si bien que les primes les plus élevées ont été versées aux plus gros producteurs obtenant les plus forts rendements. Ce cercle vicieux a coûté cher en son temps et se paie aussi par le caractère insipide d'une grande partie de la production. Depuis le développement de la maladie dite de la « vache folle », venue d'Angleterre en France au début des années 1990, on sait en plus que le productivisme à tout crin ne garantit même pas la qualité sanitaire des aliments.

Les autres marchés mondiaux étant eux aussi saturés (Amérique du Nord) ou bien non solvables (Afrique), l'Union européenne a dû se résoudre à imposer des quotas de production (lait) et des mises en jachère (dite entretenue) contre indemnités. Avec près d'1,5 million d'ha, la France est le pays qui a mis la plus grande surface d'Europe en jachère (1/3 des jachères de l'Union en 1993). Les accords de l'Uruguay Round signés en 1994 ne laissent guère d'espoir à l'agriculture productiviste. En revanche, la qualité est probablement une solution d'avenir, une alternative à la fermeture des paysages par des boisements spontanés ou à l'assistance permanente de paysans devenus des « jardiniers du paysage ».

LA LOI DU 2 JUILLET 1990 SUR LES AOC

Une grande décision de politique agricole dans son esprit comme dans son ampleur

La loi présentée par le ministre de l'Agriculture et de la Forêt, Henri Nallet, vise à renforcer le dispositif d'Appellation d'Origine Contrôlée dans le secteur agro-alimentaire français et à permettre à tous les produits agricoles et alimentaires un accès éventuel à l'Appellation d'Origine Contrôlée. [...] Dans son esprit, cette loi est destinée à entretenir et encourager une certaine conception de la qualité du produit agro-alimentaire : il ne s'agit pas de la qualité standard – celle qui réussit parce qu'elle plaît – mais de la qualité issue du terroir, originelle, donc originale.

Cette approche va incontestablement à l'encontre de la « conception marketing » contemporaine. C'est un choix délibéré et réfléchi. Il est critiqué par certains qui y voient une attitude « ringarde », voire suicidaire. Les résultats économiques du secteur des AOC apportent une réponse très satisfaisante à de telles critiques : le marché – quoi qu'il en soit – décide, et en l'occurrence, il décide bien !

Au-delà de cet esprit, l'expression du terroir confère à la démarche une dimension culturelle manifeste (poids de l'histoire, des usages, un savoir-faire transmis de génération en génération...), dimension particulièrement opportune dans un contexte où l'industrialisation déracine la plupart des produits alimentaires.

Par ailleurs, une telle démarche entretient la diversité des produits : à chaque spécificité de terroir un produit spécifique. Certains diront qu'il s'agit là du légitime droit à la différence.

À l'heure de la construction du marché intérieur européen, cette façon d'aborder la qualité met l'accent sur la richesse historique et culturelle que confère à l'Europe la multiplicité des terroirs, et avec elle, la multiplicité des usages de production et des usages gastronomiques.

Enfin, par voie de conséquence, elle permet de respecter « l'Europe des papilles » en préservant la diversité des goûts, $heureux choix qui combat l'idée d'une Europe construite sur l'homogénéisation et la banalisation. [...]

Le système de production d'Appellation d'Origine Contrôlée ne répond pas à la logique productiviste ; en fait, il ne peut y répondre, contenant dans son principe de véritables contradictions avec cette logique : la délimitation géographique, les règles de rendement, destinées à préserver la typicité des produits, constituent autant d'obstacles à l'idée qui veut que la valeur ajoutée soit issue des gains de productivité. Il ne peut y avoir de recherche de compensation d'une baisse éventuelle de valeur ajoutée induite dans le produit, par le biais d'une augmentation des quantités produites. Les gains de productivité sont – par principe – limités. [...]

Tout ceci relève donc d'une conception souple, adaptative de la politique agricole, sans modèle dominant, avec prise en compte de l'hétérogénéité des potentialités agropédologiques.

Source : Alain Berger, directeur de l'INAO, 1992.

4. Agriculture et plaisir gustatif : une longue complicité à renouer

Depuis plusieurs siècles, l'agriculture française a bénéficié d'une demande pour des produits de haute qualité. Que l'on songe aux volailles de Bresse nées dans l'orbite lyonnaise au XVIIIᵉ siècle, au vin de Champagne mousseux, né au XVIIᵉ siècle pour le marché anglais, puis réclamé bientôt par toute la bonne société parisienne, au camembert normand perfectionné au XIXᵉ à l'intention des Parisiens, popularisé par les commandes de l'armée pendant la Grande Guerre, etc. Qualité ne veut pas dire nécessairement luxe, mais haut goût, authenticité, originalité, c'est-à-dire savoir-faire permettant d'exploiter au mieux les spécificités d'un terroir. Cette particularité française tient à un aimable laxisme moral vis-à-vis de la gourmandise, mais aussi au prestige de la cour, au désir de l'aristocratie et de la bourgeoisie, puis petit à petit de toute la société, d'imiter son art de vivre.

La viticulture est l'activité qui a bénéficié de cette tendance avec le plus de constance, à l'exception de la période de production de vin de table sans caractère dans le Languedoc (1850-1970). L'Institut national des appellations d'origine (INAO) naît en 1935 pour mieux protéger les vins de qualité, puis d'autres produits tels que fromages, beurres, volailles ou légumes. La loi de 1990 permet désormais à tout groupe de producteurs de demander l'AOC (appellation d'origine contrôlée), même si le produit est relativement nouveau. Ainsi le consommateur a la garantie que le produit qu'il achète provient d'une région déterminée et qu'il répond à des norme précises de fabrication.

5. Qualité et revenus

De tout temps, les agriculteurs orientés vers la qualité ont bénéficié de revenus plus importants, du fait du prix de vente plus élevé de leurs produits et de la moindre concurrence. Cela reste largement vrai aujourd'hui : que l'on songe aux éleveurs des Causses qui se sont maintenus dans une région difficile grâce au roquefort ou aux vignerons du Diois, autre pays âpre, que fait vivre un vin mousseux original : la clairette.

Les revenus des producteurs sont d'autant plus élevés qu'ils ont moins recours à des intermédiaires. Là encore, ce sont les vignerons qui ont montré la voie en commercialisant de plus en plus leurs vins eux-mêmes, après mise en bouteille à la propriété. Ils y gagnent plus et le consommateur dépense moins que par le négoce, tout en éprouvant davantage de plaisir à déguster un produit original dont il connaît le producteur. Beaucoup d'agriculteurs français comprennent cela et s'orientent vers de tels circuits courts, parfois après une première transformation du produit (charcuterie, conserves, confitures, etc.), parfois en venant vendre sur les marchés, en livrant directement à des grandes surfaces ou en accueillant les clients à la ferme.

BEAUFORT DÉFEND SON PRÉ CARRÉ

Tarine et abondance sont les deux mamelles du beaufort. Il s'agit des deux races bovines seules admises en pâture, dans les alpages de Savoie, pour la fabrication d'un fromage connu depuis l'Antiquité en raison de ses vertus nutritives. Le beaufort, protégé depuis 1968 par une appellation contrôlée, est devenu une vraie gourmandise, le *nec plus ultra* parfumé des pâtes pressées-cuites, comprenant les gruyères.

Mamelles d'exception, donc, capables d'enfler de l'herbe la plus précieuse, même dans les prés de forte pente, qu'elles ornent de roux, brun et blanc dès la fonte des neiges. Mais mamelles qu'il ne faut point trop solliciter : depuis un décret du 18 août 1993, l'appellation « beaufort » – et l'avantageux prix du lait qui en découle – ne bénéficie qu'aux troupeaux produisant dans l'année, en moyenne, cinq mille litres par tête. Selon les paysans eux-mêmes, la production de beaufort ne saurait excéder les trois mille tonnes. C'est peu. [...]

L'appellation contrôlée est attribuée à huit cent cinquante producteurs de la montagne de Savoie, dans les vallées de la Maurienne, de la Tarentaise ou dans le massif du Beaufortin. Le prix du lait à la production, voisin de trois francs au litre et supérieur de moitié à la moyenne nationale, apparaît à chacun comme une simple mesure d'équité. « La création de cette appellation contrôlée a été un acte d'aménagement rural », selon Gérard Œuvrard, l'ingénieur agronome d'origine franc-comtoise, venu voici vingt ans diriger la coopérative de Beaufort. Pour produire ce fromage, les paysans vivent dans les hameaux, font séjourner leur bétail dans les alpages, défrichent, fauchent les prés, entretiennent les chemins. Grâce à eux, la montagne est moins hostile.

[...] Un quart de siècle en arrière, la création de l'appellation contrôlée a commencé par... coûter cher aux producteurs laitiers. On leur paya d'abord, jusqu'en 1974, un prix inférieur à celui des plaines en leur demandant pourtant tout et son contraire. Ils devaient produire mais renoncer à donner de la nourriture « extérieure » ou de l'ensilage de maïs. Ils s'obligeaient à mener les animaux à l'alpe au printemps et en été. [...]

Le beaufort doit toujours être pressé dans un cercle de bois de hêtre et enveloppé d'une toile de lin. Il séjourne sept mois en cave, dans une hygrométrie contrôlée. Tous les deux jours on retourne à la main toutes les meules de quarante kilos composant le stock. Chacune d'elles a nécessité quatre cents kilos de lait, c'est-à-dire la production d'un troupeau de vingt têtes en une journée. Pas étonnant que le produit soit trois fois plus cher que certains emmentals : un trésor est caché dedans.

Le maire de Beaufort, Gabriel Viallet, également président de la coopérative laitière que fonda son père, invite avec bon sens à l'humilité : « Trente ans en arrière, les gens des plaines savaient faire un fromage meilleur que le nôtre ». Il invite aussi à regarder ce qui s'est passé en Haute-Savoie, où l'industrie agro-alimentaire pèse lourd dans l'appellation contrôlée du reblochon. Ou dans l'Isère, où les producteurs de lait sont à la peine. Dans le massif alpin de l'Oisans, sur vingt-deux communes, on ne compte plus cinq agriculteurs. Afin d'éviter tout cela, il fallait que l'appellation contrôlée appartînt aux paysans rassemblés.

Source : Gérard Buétas, *Le Monde*, 18 janvier 1994.

Dans ces conditions, la qualité n'est pas plus chère pour le consommateur et rapporte plus au producteur. Tous deux doivent être exigeants, mais donnent ainsi à l'acte de produire ou de manger une dimension culturelle susceptible d'éloigner l'uniformité et donc l'ennui.

6. Les paysages ruraux soignés sont une mine d'or

Les productions de qualité, moins exigeantes en matière de taille de parcelle et de machinisme, ont pour effet de créer des paysages variés et soigneusement entretenus. Moins consommatrices d'intrants de synthèse, elles contribuent également à une saine gestion des ressources en eau. Ce sont là des atouts exceptionnels pour le tourisme vert, le seul qui puisse encore se développer en France, tant les hautes montagnes et les côtes sont saturées et bétonnées. Ce type de tourisme, qui fait vivre une partie de la Suisse, de l'Autriche ou de l'Irlande, est encore peu professionnel en France. Les agriculteurs peuvent trouver dans les nouveaux métiers qu'il implique d'appréciables compléments de ressources (gîtes, chambres et tables d'hôtes, fermes-auberges, équitation).

2. Pêche et aquaculture

Malgré la longueur de ses côtes et la variété des eaux marines qui la baignent, la France n'est qu'au 20e rang mondial pour les produits de la pêche. 700 000 t de produits de la mer débarqués, 300 000 t exportées et 700 000 t importées : ces trois chiffres révèlent les problèmes d'une activité qui se heurte aussi à l'intérêt modéré des consommateurs français pour le poisson.

1. Différentes pêches

La pêche à la palangre (ligne armée de hameçons) et aux coquillages et crustacés sauvages (coquilles saint-Jacques, langoustes, crabes, etc.) est artisanale et concerne de très petits tonnages. C'est elle qui fournit les meilleurs produits, non meurtris par les chaluts, ni fatigués par la glace du stockage. Elle est néanmoins rentable – comme l'agriculture de qualité – car ses circuits de commercialisation sont plus courts.

La pêche au chalut représente les deux tiers de la production nationale. Elle se pratique en mer du Nord, en Manche et dans la partie européenne de l'Atlantique. Les chalutiers sortent de un à dix jours et rapportent lieu, églefin, merlan, sardine, etc.

La pêche hauturière ou grande pêche est héritière du « grand métier » des morutiers terre-neuvas. Au cabillaud (appelé morue lorsqu'il est salé, production qui s'est réduite à moins de 20 000 t),

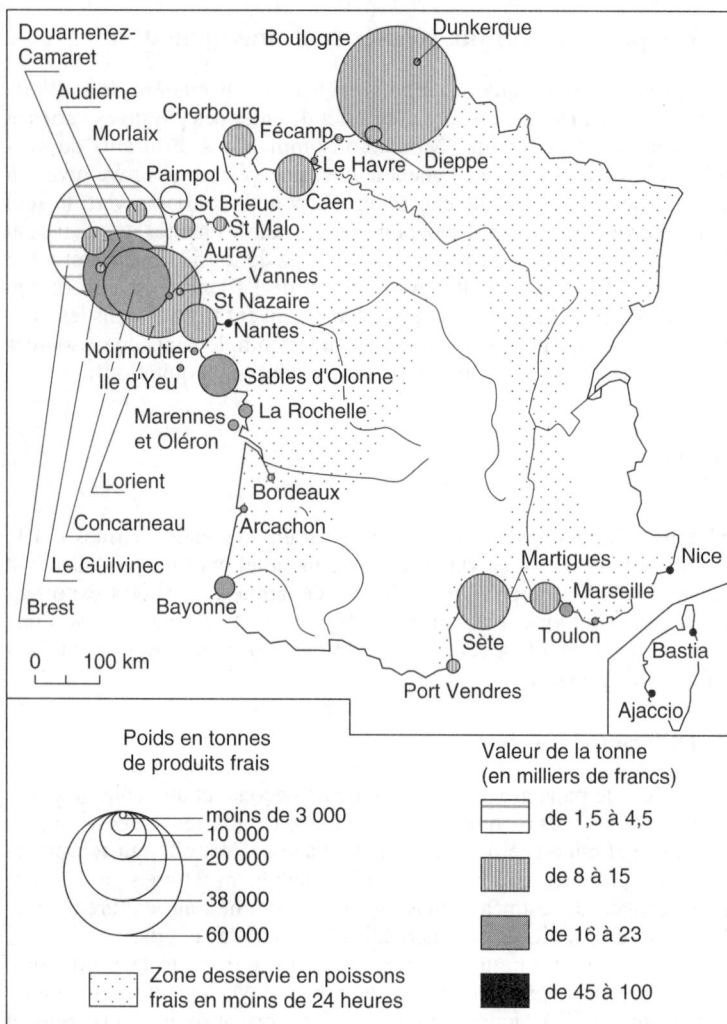

LA PÊCHE MARITIME EN FRANCE ET LES GRANDS PORTS

Douarnenez-Camaret
Audierne
Morlaix
Paimpol
St Brieuc
St Malo
Auray
Vannes
St Nazaire
Nantes
Noirmoutier
Ile d'Yeu
Marennes et Oléron
Lorient
Concarneau
Le Guilvinec
Brest
Bayonne

Boulogne
Dunkerque
Cherbourg
Fécamp
Le Havre
Dieppe
Caen
Sables d'Olonne
La Rochelle
Bordeaux
Arcachon
Martigues
Nice
Marseille
Sète
Toulon
Bastia
Port Vendres
Ajaccio

0   100 km

Poids en tonnes de produits frais

moins de 3 000
10 000
20 000
38 000
60 000

Zone desservie en poissons frais en moins de 24 heures

Valeur de la tonne (en milliers de francs)

de 1,5 à 4,5
de 8 à 15
de 16 à 23
de 45 à 100

Source : *Images économiques du monde*, © SEDES, 1993.

128

s'ajoutent le hareng, l'églefin, le flétan. Toute une partie de ce poisson est congelée en filets ou en croquettes sur les bateaux-usines. En outre, une trentaine de thoniers de Concarneau pêchent dans les régions tropicales (Atlantique, océan Indien).

2. Pêcheurs, bateaux et ports

Le nombre des armements et des pêcheurs diminue constamment. Aujourd'hui 18 000 pêcheurs travaillent sur 10 000 bateaux, contre respectivement 25 000 et 11 600 en 1983. La rémunération s'effectue encore majoritairement à la part, système complexe fondé sur les quantités capturées. La flotte est assez ancienne et surtout composée de petits bateaux : 230 seulement mesurent plus de 25 m.

Dans le cadre d'un marché de plus en plus concentré, internationalisé et lié à l'industrie, les ports français font un peu triste figure. Ils sont très dispersés et seuls trois d'entre eux sont assez importants pour comporter une criée (vente aux enchères) : il s'agit de Boulogne (90 000 t), Lorient (45 000 t) et Concarneau (30 000 t), tous trois bien reliés au reste de la France par des flotilles de camions frigorifiques. Grâce à sa remarquable situation au regard du réseau routier et aérien et à son savoir-faire commercial, le Marché d'intérêt national de Rungis est de loin le premier marché au poisson d'Europe (125 000 t), comme d'ailleurs de produits frais en général. Depuis toujours, la Méditerranée est peu poissonneuse, mais on y trouve des espèces de prix. La demande estivale, liée au tourisme, est telle que l'Atlantique est appelé à la rescousse.

Un dixième environ du poisson pêché est traité dans des conserveries qui importent aussi du poisson de l'étranger. Après un fort mouvement de concentration, il reste moins de 40 usines aujourd'hui.

3. Faiblesses du secteur aquacole

Bien qu'à la pointe de la recherche en biologie marine grâce à l'IFREMER (Institut français de recherche pour l'exploitation de la mer), la France n'a encore guère développé l'aquaculture des poissons (1 700 t). On rencontre quelques élevages de saumons, de truites de mer, de crevettes en Bretagne, en Languedoc et dans les DOM-TOM, mais rien de comparable à ce qui se fait en Écosse ou en Scandinavie.

En revanche, la pisciculture en eau douce est bien développée (30 000 t de truites).

De haute réputation depuis l'Antiquité, la conchyliculture (élevage des coquillages, huîtres et moules) reste une activité majeure de la côte atlantique et du Languedoc. Elle emploie 50 000 personnes. Les ostréiculteurs ont fait depuis plusieurs années le choix du raccourcissement des circuits de commercialisation pour leur plus grand bénéfice. Il faut ajouter que les claires dans lesquelles s'effectue l'engraissement créent des paysages d'une grande beauté.

LES TECHNOPOLES

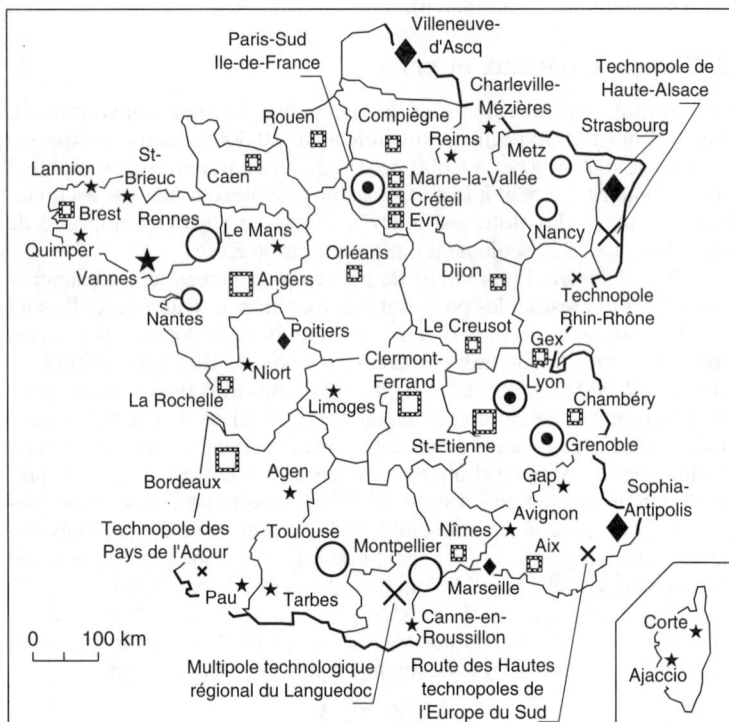

Multipole technologique régional du Languedoc

Route des Hautes technopoles de l'Europe du Sud

Type d'implantation / Taille *	Multipole	Petit centre d'innovation	Parc évolué	Parc scientifique	Technopole
Petite	×	★	◆	▫	
Moyenne	✕	★	◆	▢	○
Grande	✕				◯

⊙ Les trois grands complexes d'activités de haute technologie

(* superficie, emplois, entreprises)

Source : d'après Michel Burnier et Guy Lacroix, *Les Technopoles,* Paris, © PUF, 1996.

3. Le rétablissement énergétique

L'industrialisation et l'urbanisation de la France ont pu être assurées grâce à une maîtrise judicieuse des ressources énergétiques du pays. Dès le XVIIe siècle, la politique forestière a eu en partie pour but de maintenir des auréoles suffisantes de bois autour des villes. Les manufactures ont été implantées à proximité des massifs domaniaux (Chaux, Saint-Gobain, Le Creusot, etc.). La houille a ensuite permis la révolution industrielle, relayée au XXe siècle par l'hydro-électricité (Alpes, d'abord, Massif central, puis centrales au fil de l'eau du Rhône et du Rhin) et par le pétrole. Après la Seconde Guerre mondiale, celui-ci a pris une place grandissante, au point de fournir près de 70 % de l'énergie consommée en 1973, au moment de l'envol des prix décidé par l'OPEP, club des producteurs dominé par les pays arabes.

Le général de Gaulle avait clairement opté pour le nucléaire, à la fois pour des raisons stratégiques (politique de dissuasion, autonomie vis-à-vis des États-Unis et de l'OTAN), mais aussi industrielles. Ce choix, maintenu par tous les gouvernements successifs, malgré les pressions écologistes, a permis à la France, moyennant un gros effort d'économies d'énergie, de passer le cap des crises pétrolières sans trop de mal. Aujourd'hui, le tiers de l'énergie qu'elle consomme est issu de 17 centrales nucléaires, utilisant un uranium partiellement français. Elle peut même exporter 15 % de son électricité et a acquis une compétence technologique qui lui permet aussi de vendre centrales et savoir-faire dans le monde entier.

Pour éviter tout nouvel embargo sur le pétrole et le gaz naturel, les approvisionnements ont été diversifiés. Il est maintenant fait largement appel aux gisements de la mer du Nord et à la Russie.

4. L'industrie : sacrifices et innovations

Avec l'Angleterre et la Prusse, la France a constitué au XIXe siècle l'un des principaux foyers de la première révolution industrielle. Elle bénéficiait d'atouts non négligeables : une tradition manufacturière avec des noyaux de main-d'œuvre qualifiée, des bourgeoisies urbaines entreprenantes, du charbon et des matières premières variées (d'origine métropolitaine ou coloniale), un réseau de voies d'eau performant pour l'époque. Il ne reste plus grand-chose de ces pays noirs qui ont fait la prospérité de la France pendant un siècle, si ce n'est des friches, parfois en cours de reconversion. L'industrie n'a pas disparu pour autant. Elle s'est déplacée et s'est tournée vers de nouveaux produits à plus haute valeur ajoutée, transformation dictée par la division internationale du travail. Par

LA TECHNOPOLE DE L'ÎLE-DE-FRANCE SUD

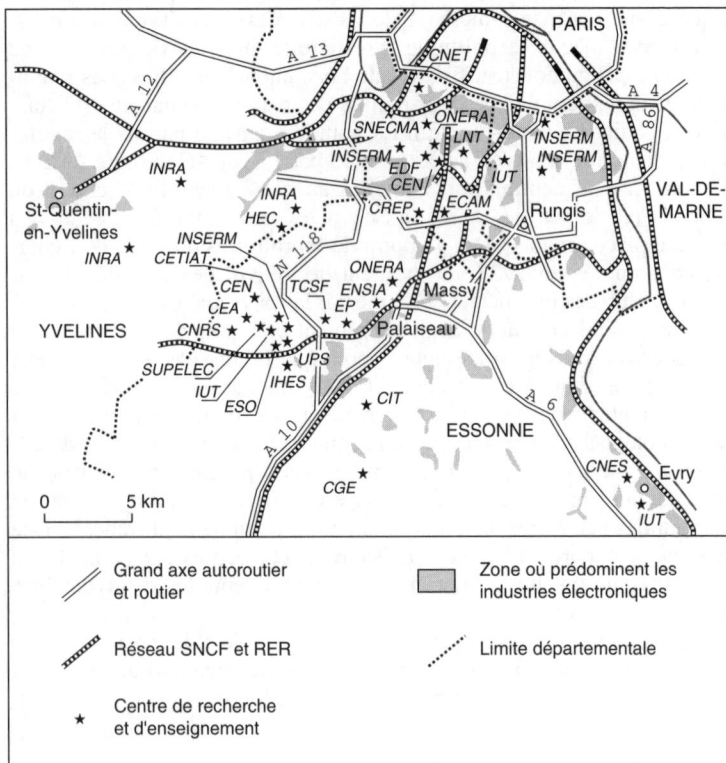

Légende :

- Grand axe autoroutier et routier
- Réseau SNCF et RER
- ★ Centre de recherche et d'enseignement
- Zone où prédominent les industries électroniques
- Limite départementale

0   5 km

CEA : Commissariat à l'Énergie Atomique
CEN : Centre d'Études Nucléaires
CETIAT : Centre technique des Industries Aéroliques et Thermiques
CGE : Compagnie Générale d'Électricité
CIT : Centre International du Téléphone
CNES : Centre National d'Études Spatiales
CNET : Centre National d'Études des Télécommunications
CNRS : Centre National de la Recherche Scientifique
CREP : Centre de Recherche et d'Études Scientifiques
ECAM : École Centrale des Arts et Manufactures
EDF : Électricité de France (Études et Recherches)
ENSIA : École Nationale Supérieure des Industries Agricoles et Alimentaires
EP : École Polytechnique

ESO : École Supérieure d'Optique
HEC : École des Hautes Études Commerciales
IHES : Institut des Hautes Études Scientifiques
INRA : Institut National de la Recherche Agronomique
INSERM : Institut National de la Santé et de la Recherche Médicale
IUT : Institut Universitaire de Technologie
LNT : Laboratoire National de Télécommunications
ONERA : Office National d'Études et Recherches Aérospatiales
SNECMA : Société Nationale d'Études et de Constructions de Moteurs d'Avion
SUPELEC : École Supérieure d'Électricité
TCSF : Thomson-CSF (Centre de Recherches)
UPS : Université de Paris Sud

ailleurs, les grandes entreprises industrielles françaises ont créé des filiales et ouvert des établissements à l'étranger pour se rapprocher des marchés de consommation et bénéficier de main-d'œuvre à meilleur marché ou de conditions fiscales avantageuses.

1. La fin de l'ère industrielle

Dans les années 1950, l'industrie française, obéissant à la règle des économies d'échelle, était pour l'essentiel concentrée autour de Paris et dans quelques grandes régions situées à l'est d'une ligne Le Havre-Marseille : Basse-Seine, Nord, Lorraine, Alsace, Lyonnais, Bas-Rhône. De nouvelles implantations sidérurgiques et pétrochimiques virent même le jour dans les années 1960 dans ces régions (Dunkerque, Fos-sur-Mer), un peu tard pour que leur réussite soit à la mesure des espérances de l'époque. Fos-sur-Mer, par exemple, fonctionne largement en-dessous des capacités initialement prévues : au-lieu des 30 000 emplois et des 200 000 habitants programmés en 1963, la zone industrielle recense 6 600 emplois et la ville de Fos compte 13 000 habitants.

Touchés par le déclin de la houille et le vieillissement d'une sidérurgie utilisant du minerai à faible teneur, les vieux bassins industriels du Nord et de la Lorraine, de surcroît situés loin de la mer, entrent en crise dès les années 1960. Le Commissariat au Plan et la DATAR organisent pour y remédier une politique de décentralisation, ou plutôt de déconcentration industrielle depuis la région parisienne.

L'industrie automobile, alors en plein essor, est la première concernée. Elle essaime vers l'ouest : Citroën à Rennes, Renault à Flins, Cléon et Sandouville, en Basse-Seine, mais aussi au Mans et à Caen, enfin, un peu plus tard à Douai dans le bassin minier du Nord. Dans le même temps, Peugeot ouvre une unité à Mulhouse. Après la fermeture de l'usine Renault de Boulogne-Billancourt, longtemps phare technologique et syndical, il reste encore 6 usines en Île-de-France (Poissy, Aulnay, etc.). Face à l'extrême concurrence internationale (récemment du Japon et de la Corée) et à une relative saturation du marché intérieur, cette branche a su d'adapter en exportant (60 % de la production), en investissant à l'étranger et en se concentrant. Deux groupes multinationaux se partagent la production : Renault et PSA (Citroën, Peugeot) avec, pour chacun, des chiffres d'affaires tournant autour de 160 milliards de francs. De grands efforts ont été réalisés également dans le domaine de la production : automatisation, pratique des flux tendus (2 heures de stock de fauteuils seulement à l'usine Renault de Douai !). Avec 2,6 millions d'emplois gravitant autour de l'automobile (dont 800 000 pour la seule production) et les effets d'entraînement sur diverses industries (sidérurgie, caoutchouc, verre, équipementiers, transports, pétrochimie, etc.) il s'agit toujours d'un secteur clé de l'économie nationale.

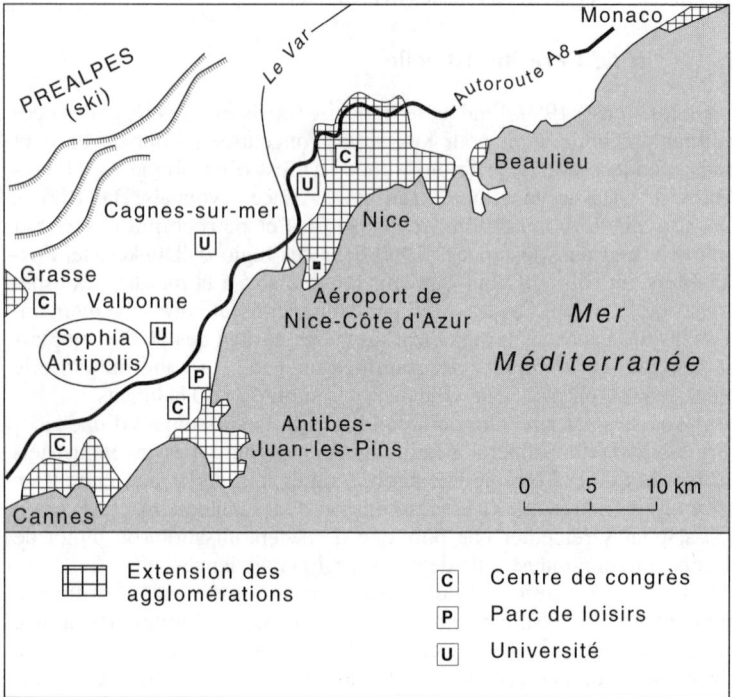

SOPHIA ANTIPOLIS

PREALPES
(ski)

Le Var

Monaco

Autoroute A8

[C]

[U]

Beaulieu

Cagnes-sur-mer

[U]

Nice

Grasse

[C] Valbonne

Sophia [U]
Antipolis

[P]

Aéroport de
Nice-Côte d'Azur

Mer
Méditerranée

[C]

Antibes-
Juan-les-Pins

0   5   10 km

[C]

Cannes

	Extension des agglomérations

[C] Centre de congrès

[P] Parc de loisirs

[U] Université

Source : DATAR.

En revanche, rien n'a pu sauver la plupart des chantiers de construction et réparation navales qui ont perdu en trente ans les trois quarts de leurs emplois (6 000 en 1995), phénomène qu'expliquent la stagnation des transports maritimes, la concurrence japonaise (40 % de la production mondiale) et celle des nouveaux pays industriels, au premier rang desquels la Corée.

De même les industries du textile et de l'habillement sont sinistrées par la concurrence de l'Asie, de l'Afrique du Nord, du Brésil. De 565 000 emplois en 1980, le secteur est passé à 320 000 en 1992. Quelques réussites spectaculaires méritent, cependant, d'être signalées, en particulier sur le créneau du luxe : celui qu'exploite, par exemple, le groupe LVMH (Louis Vuitton-Moët-Hennessy), repreneur des restes de l'empire Boussac et de son fleuron Christian Dior ou de Kenzo, et encore celui d'Elf-Aquitaine rachetant Yves Saint-Laurent. La confection de luxe (parfois importée) et la haute couture sont épaulées par les parfums, la maroquinerie, la bijouterie, etc. Géographiquement, l'industrie textile n'a guère varié depuis des décennies, voire des siècles. Elle demeure essentiellement implantée dans le Nord, à Troyes, à Mulhouse, en Choletais, en Rhône-Alpes et en Île-de-France (le Sentier et ses prolongements en banlieue). Une seule exception dans le Sud-Ouest : le centre de tissage de laine de Lavelanet, en Ariège.

2. Nouvelles industries, nouvelles localisations

Pourtant, tout n'est pas négatif dans cette évolution qui a été difficile pour bien des familles, bien des bassins d'emploi. Un nouveau tissu industriel s'est constitué, utilisateur de plus hautes technologies et donc de main-d'œuvre plus qualifiée. Il se localise surtout à la périphérie des grandes métropoles, y compris en Île-de-France qui bénéficie de ses atouts internationaux. Le concept de technopole (ou technopôle) a vu le jour. Il recouvre les associations (en synergie, selon le mot à la mode) d'usines performantes, de centres de recherche, de services variés et d'établissements d'enseignement supérieur, le tout à une distance raisonnable d'une grande ville, d'un aéroport ou d'une gare TGV, dans un cadre agréable. Le littoral ou la montagne et le soleil se révèlent des atouts puissants, ce qui explique l'émergence de l'Ouest et du Midi (Toulouse, Montpellier, Sophia-Antipolis-Côte d'Azur, Grenoble). Toutefois, seule la cité scientifique d'Île-de-France-Sud est de taille équivalente à celles de Boston, Los Angeles, Tokyo ou Osaka. À la différence des implantations de l'ère précédente, la taille moyenne, voire petite, des pôles n'est pas forcément un inconvénient. Il existe même de belles réussites en milieu rural : par exemple l'électronique à capitaux japonais dans le Haut-Rhin, les nébuleuses industrielles du Choletais, des Monts du Lyonnais, des Savoie et, même, sur des créneaux très innovants, de beaux succès « au milieu de nulle part »,

L'EMPLOI TERTIAIRE EN FRANCE (1990)

Branche d'activité	Emplois en milliers	% de la population active
Commerce	2 709,3	12,3
Réparations et commerce de l'automobile	399,1	1,8
Hôtels, cafés, restaurants	750,1	3,4
Transports	840,4	3,8
Télécommunications et postes	436,0	2,0
Services marchands rendus aux entreprises	1 743,8	8,0
Services marchands rendus aux particuliers	1 220,5	5,6
Assurances	160,0	0,7
Services organismes financiers	443,9	2,0
Services non marchands (fonction publique)	5 549,1	25,4
TOTAL	14 252,2	65,1

Source : INSEE.

comme cette petite usine d'écrans géants de télévision à Saint-Sernin-sur-Rance, dans le sud de l'Aveyron.

À côté des pans entiers de l'industrie française qui ont disparu, des secteurs ont acquis une place notable, parfois même dominante, à l'échelle mondiale : les productions télématiques, aérospatiales, et d'armement, toutes trois au troisième rang mondial, les transports en commun, les travaux publics, l'agro-alimentaire, par exemple. France Telecom (qui vient de réaliser l'équipement téléphonique de l'Argentine), Airbus, Matra, GEC-Alsthom (qui achève, avec la SNCF, la livraison et le transfert de technologie du TGV à la Corée), Bouygues et bien d'autres parviennent à s'imposer sur d'importants marchés extérieurs.

Les entreprises les plus visibles de ces secteurs sont de puissantes multinationales plus ou moins liées à l'État, mais leurs performances reposent sur un tissu de PME-PMI dont chacun est aujourd'hui conscient qu'il est essentiel de l'encourager à vivre, à innover et surtout à exporter. La présence de ces dernières à l'étranger passe par une simplification des démarches administratives et un renforcement des organismes de conseil (services économiques des ambassades, agences telles que la SOPEXA ou l'ACTIM, chambres économiques, etc.). La vraie force du secteur PME-PMI tient à sa capacité de produire des articles de qualité, plutôt que standardisés, et à évoluer rapidement au gré de la demande. On le constate particulièrement dans le domaine du luxe, déjà évoqué, dans lequel la France excelle, grâce à un mélange de respect de la tradition et d'innovation technologique et commerciale.

5. Les services, un secteur à réinventer

La nouvelle donne industrielle n'a d'avenir qu'appuyée sur des services de pointe, prêts à répondre rapidement à toutes les demandes des entreprises (financement, assurance, conseil juridique et fiscal, etc.), voire à les anticiper. Il ne fait aucun doute que la résorption du chômage n'est possible que dans le développement qualitatif de ce secteur qui occupe déjà 65 % de la population active. Ainsi tertiairisée, l'économie française est au milieu du gué qui la conduit vers une situation franchement post-industrielle et de plein-emploi. L'insupportable taux de chômage qui affecte la société depuis deux décennies tient à bien des facteurs parmi lesquels l'inadéquation du système de formation, tant initiale que permanente. Les Français demeurent insuffisamment qualifiés et surtout trop peu mobiles et capables de changer rapidement de nature d'emploi, d'entreprise ou de lieu de résidence, d'acquérir les connaissances nécessaires pour y parvenir. Il faut aussi ajouter à cette faiblesse quelques pesanteurs politico-administratives (complexité des systèmes fiscaux, de protection sociale, par exemple) et le sentiment frileux du

DES EMPLOIS AU VILLAGE

Grandpré, un village au creux de l'Argonne ardennaise, un pays de forêts et de rivières. Naguère, il y avait encore quelques usines dans les environs – métallurgie, tôlerie-chaudronnerie, – mais la plus résistante vient de fermer ses portes tandis que tombaient les dernières feuilles et les premières neiges. Une petite pousse d'espérance s'est pourtant mise à germer ici voilà quelques saisons. [...]

Dans un pré bordé de grands arbres, une société parisienne spécialisée dans le secrétariat à distance, PBS, a installé un « technosite » pourvu d'équipements si perfectionnés qu'il y réalise et y transmet – avec un maximum de rapidité – le courrier et les documents demandés par de grandes sociétés et des organismes divers.

TRG, qui date de 1990, est la troisième née d'une famille de petites entreprises (quarante salariés au plus, une vingtaine en général) issues de PBS et installées dans des villages ou de petites villes de la région – Demanges-aux-Eaux, Triaucourt, Attigny, bientôt Bar-le-Duc et Lunéville, – toutes centrées sur le télésecrétariat et fonctionnant sur les mêmes bases techniques. Celles-ci ont été conçues et réalisées avec l'aide de CITCOM, une société du groupe France Telecom qui travaille à rendre possible le transfert d'activités en milieu rural dans une optique d'aménagement du territoire en imaginant des systèmes qui combinent toutes les ressources de l'informatique et des télécommunications. Choisi voilà déjà plusieurs années comme partenaire par CITCOM pour le sérieux de son travail, Pierre Bertaud, le patron de PBS, a de nombreux projets : il voudrait réaliser l'équivalent de ce qu'il a créé dans l'Est en Ille-et-Vilaine. Et, comme il est sollicité par les élus locaux pour aller s'installer dans bien d'autres endroits encore, il prépare à leur intention une « licence PBS ».

D'autres partenaires de CITCOM, tels LOGOMOTIV pour la traduction, AATENA pour le secrétariat comptable et de gestion, des PME, AGL pour l'archivage, élaborent actuellement avec la filiale de France Telecom, une nouvelle forme de télétravail.

Grâce au système Numéris aujourd'hui généralisé, qui transmet voix, textes, images, données, dix fois plus vite pour un prix à peu près inchangé et permet un travail de grande qualité, le moindre village peut espérer en bénéficier. [...]

[Le télétravail] ne peut survivre et se développer que s'il garantit l'excellence de ses prestations : comme la distance ne compte plus, le choix du client se porte sur le meilleur, fût-il le plus éloigné. D'autre part, s'il y a lieu à corrections, le processus s'alourdit brusquement et le client risque de se décourager. Il faut donc disposer de très bons professionnels, ce qui est difficile à la campagne : à Grandpré, Éliane Béchard, responsable du recrutement, a eu du mal à trouver des femmes ayant non seulement une bonne orthographe, mais une connaissance assez subtile du français pour savoir polir, affiner ou rectifier les imperfections inévitables du courrier dicté sur magnétophone. Bref, « croire qu'on peut se lancer avec un téléphone, un télécopieur, un ordinateur et deux ou trois bonnes volontés, c'est aller à coup sûr à l'échec » ! Pis : c'est risquer de déconsidérer ce type de travail en transformant l'engouement en scepticisme.

Source : Marie-Claude Betbeder, *Le Monde*, 24 février 1993.

personnel que les « acquis » ne sauraient être remis en cause. La crise de plusieurs grandes entreprises parapubliques où ces derniers défauts sont très prononcés (Crédit lyonnais, SNCF ou Air France) est là pour le démontrer.

Techniquement, l'espoir d'une prospérité retrouvée pour tous repose sur une meilleure maîtrise de l'outil informatique, susceptible de supprimer dans l'industrie, comme dans les services, les tâches les plus répétitives, celles qui ne réclament guère d'initiative. Parallèlement augmentera le besoin en ingénieurs, techniciens supérieurs, gestionnaires, commerciaux, conseillers en entreprise. Cela se vérifiera d'autant mieux qu'ils seront capables d'exporter la production de leur entreprise ou leur savoir-faire, grâce à leur maîtrise des langues étrangères et leur acceptation de vivre à l'étranger, ne serait-ce qu'un temps.

Géographiquement, les services ont, comme l'industrie, subi un mouvement de métropolisation. Cependant, ce phénomène n'est pas irréversible. Le télétravail (exercé à domicile avec l'aide d'un fax, d'une liaison télématique ou d'Internet), auquel la DATAR croit beaucoup, n'est plus une utopie. La France bénéficie d'un réseau de télécommunications des plus performants (Transpac, Numéris, satellites nombreux). Si les entreprises préfèrent à juste raison conserver leurs sièges sociaux en Île-de-France et dans les grandes villes, rien ne les empêche plus de décentraliser une partie de leurs services administratifs dans des villes moyennes, voire des bourgs. Les charges immobilières et salariales y sont moins élevées, tout comme le temps passé dans les transports par le personnel et l'absentéisme. Le télétravail est bien adapté à un certain nombre de professions : assurances, architecture, gestion comptable, vente par correspondance, par exemple.

Le travail à domicile a mauvaise presse en France où il passe volontiers aux yeux de l'opinion pour paternaliste. À la différence de l'Allemagne, il a quasiment disparu sous sa forme industrielle. En revanche, associé aux techniques du télétravail, il prend un nouveau départ dans le domaine du secrétariat.

6. Un secteur majeur de l'économie française : le tourisme

Le tourisme représente 7 % du PIB et les recettes issues du tourisme international (120 milliards de francs) placent la France au deuxième rang mondial, derrière les États-Unis. Une telle réussite tient à l'image de la France dans le monde, à son rôle pionnier dans l'histoire du tourisme élitiste depuis la fin du XVIIIe siècle et des congés payés après 1936. Elle tient aussi aux professionnels du tourisme (2 millions

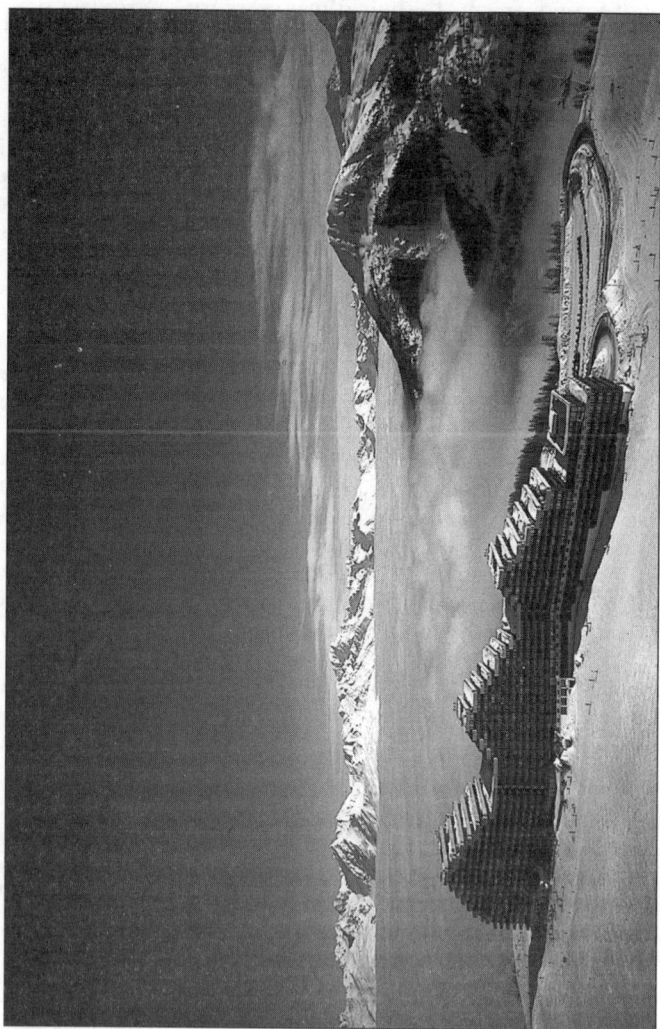

AIME LA PLAGNE (SAVOIE)

d'actifs). Plusieurs chaînes hôtelières sont implantées sur tous les continents (Accor, au premier rang mondial et très diversifiée, Méridien, Club Méditerranée).

Si l'hôtellerie traditionnelle manque souvent du confort auquel les Européens du Nord, les Américains ou les Japonais sont habitués, la restauration compense cette faiblesse par un rapport qualité-prix généralement apprécié, tant sur le chapitre de la nourriture que celui des vins. L'Île-de-France attire le plus grand nombre d'étrangers (22 % des nuitées), grâce à ses monuments, ses musées, ses événements culturels, ainsi que Disneyland Paris, depuis 1992. Viennent ensuite la région Provence-Alpes-Côte d'Azur (12 %) et Rhône-Alpes (11 %).

Les autres grands centres touristiques se situent sur les littoraux et dans les hautes vallées montagnardes, leur création s'étalant sur deux siècles et demi : Le Touquet (1882), Deauville (1825), La Baule, Royan, Biarritz, Cannes (1834), Nice (1731), Chamonix, pour les plus anciennes, La Plagne, Les Arcs, les grandes stations du Languedoc (Port-Camargue, La Grande Motte, Cap d'Agde, etc.), pour les plus récentes, créées après 1970. Pendant longtemps, le développement touristique a entraîné le mitage de l'espace ; depuis 1960, le modèle des zones à urbaniser en priorité et des zones d'aménagement concerté a séduit les promoteurs et les élus, avec des conséquences paysagères identiques à celles des banlieues : des tours et des barres, continues pour les plus anciennes, séparées d'espaces verts et de marinas pour les dernières. La médiocre qualité générale de ces équipements, les embouteillages et la pollution qu'ils créent, le goût de plus en plus répandu pour des vacances originales, devraient inciter les régions de la France intérieure à développer l'accueil des Français comme des étrangers. Les professionnels du tourisme de masse le savent bien. Le Club Méditerranée, l'une des premières entreprises mondiales de séjours organisés, ne se trompe pas en ouvrant de nouveaux villages dans les régions tropicales – même très éloignées de la France, mais en visant une clientèle étrangère, américaine ou asiatique – ou bien dans la France verte (Vittel).

Cette manne du tourisme repose avant tout sur l'image très positive de la culture française. Il importe de maintenir et de recréer à l'avenir la qualité des paysages et des prestations (transports, hôtels, restaurants, musées, etc.), tout en contenant les prix dans des limites raisonnables.

LA FRANCE INEFFABLE

Les économistes peuvent chiffrer le PNB, le volume des exportations de cette année-là – et les démographes préciser la courbe de la population, les tranches d'âge et les géographes déterminer les reliefs, les frontières de la France et les sociologues nous montrer l'évolution des mœurs, des loisirs, des classes sociales. Après avoir collecté tous ces enseignements, nous ne pouvons pas nous targuer de connaître la France parce qu'elle est aussi et surtout un rêve, un nom, une odeur, une somme d'images, de couleurs, de brises, d'herbes hautes, de vignes entretenues avec patience. Aucun savoir ne peut prétendre se substituer à cette expérience vive mais cette constatation risque de se retourner contre notre entreprise : n'est-il pas vain de chercher à restituer avec des mots, des récits ce qui semble requérir la présence en acte des sens, ce qui semble s'évanouir, la rencontre une fois terminée ?

Qu'arrive-t-il quand le rêve s'estompe, quand, sous prétexte de ne pas être dupes, par vigilance critique, par souci de démystifier, nous perdons le goût des litanies adorantes, des ritournelles moqueuses, des voyages sentimentaux ? Des hommes continuent à habiter la France ; ils y trouvent un emploi, un domicile – parfois deux s'ils possèdent une résidence secondaire, un abri contre les intempéries. Ils s'y plaisent mais Elle ne hante plus leur conscience, Elle ne sera plus leur Orient. Elle ne les bouleversera plus et ils ne souffriront plus dans leur chair, si les circonstances lui sont cruelles.

Source : Pierre Sansot, *La France sensible*, Paris, © Champvallon, 1985 ; © Payot, coll. « Petite Bibliothèque », 1995.

7

Les espaces vécus

La géographie d'un pays n'est pas uniquement affaire objective. C'est, comme on l'a vu, un sentiment national, une manière de vivre ensemble et de rendre possible ou non l'assimilation de l'étranger, ce sont des milieux, c'est-à-dire des environnements humanisés, vécus et perçus, c'est une manière originale de concevoir l'aménagement et d'en partager les responsabilités, c'est une façon de produire qui révèle la psychologie profonde d'un peuple, son inventivité, ses pesanteurs. C'est aussi la façon dont les habitants vivent l'espace, organisent le cadre de leur vie quotidienne. Un tableau géographique est incomplet sans sa dimension sensible, poétique. Ce qui peut paraître évident, voire banal à des Français, acquiert de l'originalité par comparaison avec les habitudes d'autres peuples. Les géographes doivent faire leurs les préoccupations des ethnologues ou des sociologues, en les inscrivant dans l'espace, conformément à leur vocation.

1. La maison des Français

Les Français aiment depuis longtemps les maisons familiales, plutôt que les appartements. Ceci s'explique en partie par le caractère récent de l'urbanisation massive et par l'individualisme qui a touché l'élite dès la Renaissance et a totalement gagné les couches populaires de la société au XXe siècle. L'appartement dans un immeuble collectif a toujours été considéré comme un pis-aller imposé par le coût du foncier urbain. Il est supportable lorsqu'il est compensé par une superficie suffisante, le confort et, surtout, les qualités de son environnement : proximité du lieu de travail, des commerces, de lieux de sociabilité et d'agrément, sécurité, etc.

Vécues comme très supérieures aux appartements vétustes des centres-villes, les habitations à loyer modéré des grands ensembles des années 1960 et 1970 sont devenues difficilement supportables pour les

LES QUARTIERS EN DIFFICULTÉ DE L'ÎLE-DE-FRANCE

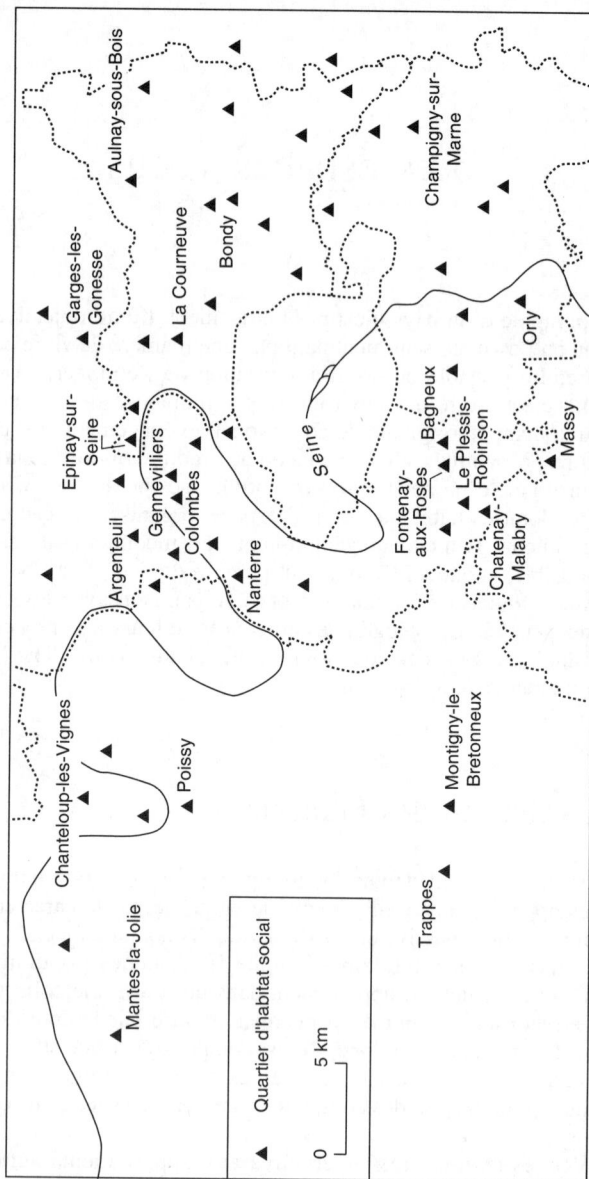

Aulnay-sous-Bois

Champigny-sur-Marne

Garges-les-Gonesse

La Courneuve

Bondy

Orly

Epinay-sur-Seine

Gennevilliers

Colombes

Bagneux

Le Plessis-Robinson

Massy

Seine

Argenteuil

Nanterre

Fontenay-aux-Roses

Chatenay-Malabry

Chanteloup-les-Vignes

Poissy

Montigny-le-Bretonneux

Mantes-la-Jolie

Trappes

▲ Quartier d'habitat social

0   5 km

Source : d'après *Libération*, 19 octobre 1994.

144

Français qui ne songent qu'à les quitter pour une maison individuelle. Dès 1969, Albin Chalandon, ministre alors en charge de la construction, s'était taillé un franc succès avec le concours des 70 000 maisons individuelles (les « chalandonnettes »), lancé auprès des constructeurs. Encore aujourd'hui, malgré leur monotonie, leur éloignement des centres urbains et la médiocrité de leur architecture (en léger mieux, toutefois depuis l'époque des « chalandonnettes »), les lotissements sont toujours préférés aux ensembles collectifs.

Dans leur aspect extérieur, les habitations françaises reflètent la complexité de l'histoire de l'architecture et de l'urbanisme. Les maisons rurales antérieures au milieu du XIXe siècle sont construites en matériaux empruntés à l'environnement immédiat (sauf les ardoises du Val-de-Loire qui remontaient depuis Angers jusqu'à Nevers), à des savoir-faire et des décors imaginés sur place, ce qui n'exclut pas certaines influences extérieures. Les maisons de villes obéissent depuis plus longtemps à des modèles nationaux tempérés par des variantes locales.

Les techniques actuelles de construction sont à peu près les mêmes sur toute l'étendue du territoire national. Les fantaisies observables dans l'habitat individuel relèvent du pastiche et du cache-misère (pseudo-génoise sur les maisons provençales, chaînage « décoratif » de granit sur les maisons bretonnes, par exemple), mais témoignent de la force des sentiments identitaires.

À l'intérieur de l'appartement ou de la maison, les Français ont longtemps exprimé leur personnalité par l'importance accordée à la cuisine et à la salle à manger, le plus souvent réunies en une seule pièce à la campagne, séparées en ville. Dans les régions de petites exploitations agricoles et donc de petites maisons-bloc, l'espace du sommeil n'était pas toujours séparé et les lits (clos en Bretagne ou aux confins Champagne-Bourgogne, par exemple) occupaient les côtés de la pièce à vivre.

Aujourd'hui, en ville, c'est le « séjour » qui occupe la plus grande place et, à l'intérieur de celui-ci, comme dans les habitations aristocratiques ou bourgeoises des siècles passés ou dans les maisons anglaises et américaines, des canapés et des fauteuils. Le salon est devenu l'espace où les Français séjournent le plus longtemps, puisque la télévision y est généralement installée. La salle à manger est réduite à un « coin », tout comme dans les plus petits des appartements modernes ou anciens modernisés. La cuisine, moins utilisée depuis l'essor du travail féminin et des plats préparés, a perdu son rôle de cœur du foyer. La mode est aux cuisines « à l'américaine », s'ouvrant derrière un « bar » ou, dans les studios, aux « kitchenettes » dissimulées dans un placard.

En revanche, dans les habitations familiales de taille suffisante, les chambres d'enfants ont acquis une valeur éducative. Les parents estiment la chambre individuelle nécessaire à l'éveil de la personnalité de leur progéniture. La télévision et le baladeur s'étant largement diffusés dans le même temps, l'individualisme a beaucoup progressé.

ABATTRE LES TOURS

Le nouveau ministre de l'Aménagement du territoire, de la Ville et de l'Intégration, Jean-Claude Gaudin, a estimé hier qu'il « faut faire disparaître » les tours et les barres dans les quartiers sensibles et exprimé le souhait que leurs habitants soient accueillis dans « des quartiers villageois ». M. Gaudin, qui clôturait une manifestation baptisée « Partenaires pour la ville » récompensant des projets qui visent à réhabiliter les cités, a surpris son auditoire en improvisant sur le thème de la Ville. « Dans les années 1960-70, il fallait construire beaucoup.

Il fallait loger nos compatriotes, cela fut fait. Le peuple ne demandait pas autant d'environnement, de qualité de vie, d'équipements sportifs, sociaux, comme on nous en demande depuis quelques années », a-t-il dit. « Aujourd'hui, plus aucun architecte ne viendrait vous proposer des tours et des barres. Cela ne se fait plus. Là où elles existent, il faut les faire disparaître. Quel plaisir quand, dans des villes, on peut faire tomber des ensembles qui datent de 20 ou 30 ans pour construire autre chose. »

Source : *Le Figaro*, 23 novembre 1995.

Implosion d'immeuble à Pont-de-Claix (Isère).

Le mobilier des Français n'est plus guère régionalement typé, sauf dans les milieux cultivés où l'on affectionne les meubles anciens, hérités ou chinés dans les brocantes.

Si certaines habitudes américaines ont pu pénétrer, en particulier grâce au cinéma, l'habitation n'est pas aussi ouverte à tout le monde qu'outre-Atlantique. Y entrer est un privilège réservé à la famille et au cercle des amis proches. Y regarder de l'extérieur est rarement possible du fait de l'usage des rideaux ; c'est une notable différence avec les habitudes des Européens du Nord, de culture protestante.

Le jardin « idéal » – imposé par maints règlements d'urbanisme – entoure la maison sur tous les côtés. La pelouse, les arbres ornementaux (saule pleureur, sapin bleu, thuya, etc.) et les fleurs y sont privilégiés par rapport aux arbres fruitiers et aux planches potagères. Très prisées naguère, les touchantes « fabriques » au petit pied (mini-moulins, nains, puits de pneus) ont cédé la place au mobilier de plastique. Les piscines sont rares, sauf sur la Côte d'Azur.

Les résidences secondaires, rêves accomplis ou à réaliser de tous les Français, sont assez semblables aux habitations principales, un peu de fantaisie en plus, d'entretien en moins.

2. Le village, le quartier

L'attachement à la paroisse remonte aux origines des villages et de la croissance des villes au Moyen Âge. Il a été transféré sur la commune et sur le quartier qui font aujourd'hui l'objet d'un attachement plus souvent individuel que collectif. Certes, même dans les plus petites communes, il y a toujours plus de candidats que de sièges aux élections municipales et il se crée chaque jour de nouvelles associations dont les membres résident dans un espace restreint. Les petits commerces banals (de base) ferment les uns après les autres, mais les marchés de plein air continuent à plaire – surtout ceux qui se tiennent en fin de semaine – pour le bon rapport qualité-prix de leurs produits et pour la convivialité qu'ils permettent. Dans certains quartiers de grandes villes, une atmosphère de village pré-industriel et pré-télévision s'est même recréée sur un mode culturel hérité de 1968, libéré de certaines contraintes sociales : La Croix-Rousse ou Saint-Paul à Lyon, La Butte-aux-Cailles, la Roquette ou le Marais à Paris, Saint-Pierre à Bordeaux.

Mais au fond, si l'on tente une comparaison avec d'autres pays européens, les Français sortent peu de chez eux pour rencontrer leurs voisins. La brasserie belge ou bavaroise, le *pub* anglais, le bar à *tapas* espagnol ou la taverne grecque n'ont plus d'équivalent aussi généralisé et longuement animé chaque jour en France. L'heure de l'apéritif a moins de succès qu'auparavant, sauf peut-être dans le Midi ; les guinguettes au bord de

LA PRATIQUE DU RUGBY EN FRANCE

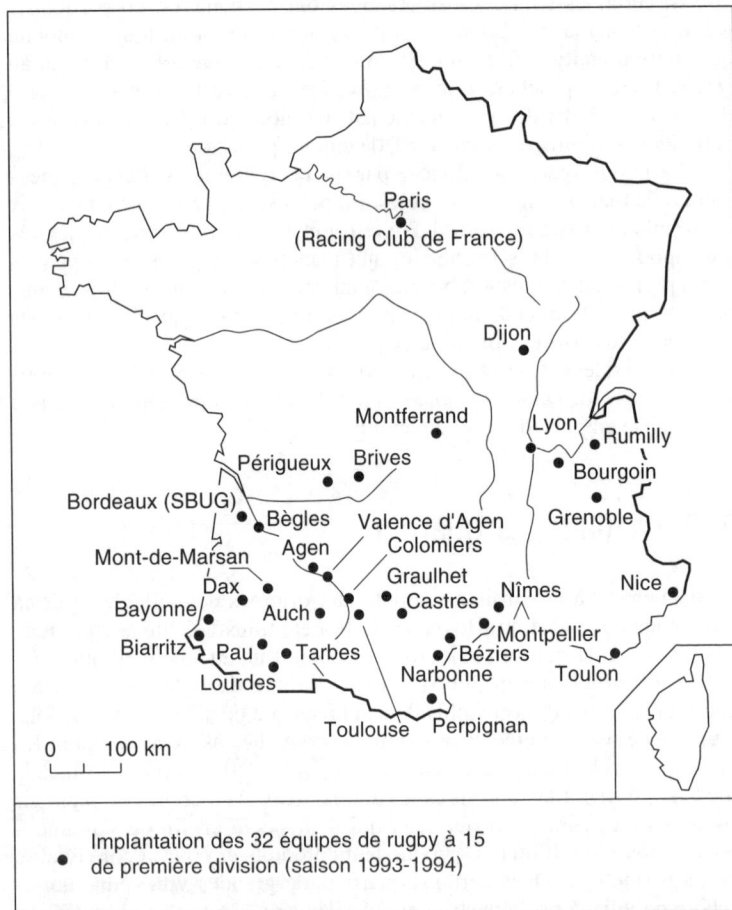

Paris
(Racing Club de France)

Dijon

Montferrand

Lyon
Rumilly
Bourgoin

Périgueux Brives

Bordeaux (SBUG)
Bègles
Valence d'Agen
Colomiers
Grenoble

Mont-de-Marsan
Agen

Dax
Graulhet
Castres
Nîmes
Nice

Bayonne
Auch

Biarritz
Pau Tarbes
Montpellier
Béziers

Lourdes
Narbonne
Toulon

Toulouse Perpignan

0   100 km

Implantation des 32 équipes de rugby à 15
• de première division (saison 1993-1994)

À partir de la fin du XIXᵉ siècle, le rugby, sport d'origine anglaise, où il se pratiquait dans des collèges aristocratiques, se diffuse en France, à Paris et dans le Sud-Ouest. Il s'est d'abord appuyé sur des réseaux républicains et anticléricaux, puissants dans cette région, alors que les patronages catholiques diffusaient le football.

l'eau ont presque toutes fermé leurs volets. Après 19 heures, la plupart des villes de France sont désertes, en dehors de quelques quartiers centraux de grandes métropoles ou de villes touristiques où se concentrent cinémas, théâtres, restaurants. Par compensation, une grande frénésie s'empare de la population à l'occasion de la fête de la musique en juin, du carnaval, des fêtes votives, de la victoire de l'équipe locale de football ou de rugby, d'une élection locale ou nationale.

Affaiblie dans les centres auxquels les habitants sont pourtant attachés, la vie sociale est désorientée dans les banlieues. Inexistante ou presque dans les quartiers pavillonnaires, elle prend parfois dans les grands ensembles des formes inacceptables pour les autres habitants. Les bandes de jeunes, à l'occasion délinquantes, y rendent la vie difficile une fois la nuit tombée. L'Institut d'aménagement et d'urbanisme de la région Île-de-France (IAURIF) a recensé dans son périmètre d'action 82 quartiers en difficulté. Malgré les sommes investies par l'État et les collectivités territoriales dans le cadre de la « Politique de la ville » (Développement social des quartiers, par exemple), il n'y a guère d'espoir de sauver un jour du naufrage ces quartiers de l'indigence : celle des conceptions urbanistiques d'origine, celle de leurs malheureux habitants. Leur démolition a commencé et c'est une heureuse initiative de certaines municipalités. L'heure est à la réhabilitation des quartiers qui ont conservé un visage humain – pratique qui se généralise – et à l'invention de nouvelles formes d'urbanisme faisant appel au sens de la responsabilité des citoyens. Le lotissement du Parc de Cassan à L'Isle-Adam (Val d'Oise) en est un exemple très réussi, reprenant et améliorant les meilleurs aspects des cités-jardins de la première moitié du siècle.

Les grandes surfaces représentent maintenant l'essentiel de l'équipement commercial des banlieues (60 % de la vente des produits alimentaires en France). Elles ont été tellement développées depuis quarante ans que leur conception et leur aménagement sont devenus des spécialités françaises qui s'exportent dans le monde entier. Tant mieux pour la balance des paiements de la France, mais il faut probablement le regretter pour la sociabilité urbaine bien mise à mal sous les néons et dans le brouhaha des annonces publicitaires. D'apparence économique et pratique, elles créent en outre l'illusion de la prospérité chez les consommateurs les moins fortunés et les moins cultivés qui acquièrent des réflexes de facilité et de surconsommation. Il est vrai que le commerce de détail a beaucoup manqué d'imagination ces dernières décennies, en ne s'adaptant pas assez à la demande et en pratiquant des prix dissuasifs. On pourrait en dire autant de la restauration populaire qui n'aurait pas été remplacée par les fast-foods dans bien des centres urbains si ses professionnels avaient fait preuve d'un peu plus d'audace et avaient su renforcer la qualité de leurs prestations sans augmenter leurs prix.

LES SECTEURS SAUVEGARDÉS EN 1992
(LOI MALRAUX)

Plans de sauvegarde en cours d'étude

Plans de sauvegarde publiés

Plans de sauvegarde approuvés

Plans de sauvegarde en révision

Source : ministère de la Culture.

3. Le culte du patrimoine

L'ennui qui émane des quartiers reconstruits après la guerre ou rénovés (c'est-à-dire rasés, puis rebâtis dans le style international inspiré de la Charte d'Athènes), le naufrage économique, social et paysager des banlieues, amorcé aussitôt après leur création, expliquent l'amour grandissant des Français pour les tissus urbains anciens et, plus généralement, pour les paysages hérités du passé. En une trentaine d'années, environ 80 quartiers centraux ont été classés « secteurs sauvegardés », Sarlat inaugurant la série. La procédure n'est pas exempte de défauts. Elle est lourde à mettre en place, les restaurations supervisées par les Bâtiments de France sont chères et parfois exagérément puristes, mais les villes ainsi mises en valeur plaisent aux Français et aux étrangers. Leur paysage est même devenu une mine d'or pour les professions du tourisme.

Délaissés pendant longtemps par la spéculation immobilière, tous les centres anciens, quel que soit leur statut au regard de l'administration des monuments historiques, sont aujourd'hui très recherchés, même si à Lyon, à Bordeaux, à Montpellier, à Toulouse, les prix n'atteignent pas ceux des banlieues huppées. À Paris, en revanche, le prix des appartements dans certaines rues du centre (rue Jacob, rue de Grenelle, rue de l'Université, avenue Foch, par exemple) sont plus élevés que ceux des banlieues les plus cotées (Le Vésinet, Versailles, Saint-Germain-en-Laye). Le quartier Maubert, voué à la démolition pour insalubrité dans les années 1950, concentre maintenant artistes, hommes politiques, banquiers, hauts fonctionnaires, suivant une évolution proche de celle de l'île Saint-Louis qui fut pionnière en la matière dès avant guerre et dans les années 1950.

Cet engouement pour le patrimoine se traduit par maints autres choix des Français. Dans tout le pays fleurissent les musées de traditions populaires, les écomusées, les foires aux antiquités, les fêtes traditionnelles renouvelées, les festivals de musique ancienne, l'apprentissage des dialectes régionaux, les produits et recettes de cuisine du « terroir » mises en œuvre par des cuisiniers couronnés d'étoiles. Des associations innombrables militent pour la préservation des maisons anciennes, des paysages hérités, des sites menacés de disparition par un équipement moderne. Éternelle fausse querelle des anciens et des modernes : c'est au moment où l'héritage semble devoir être englouti qu'il renaît de ses cendres sous une forme plus ou moins inspirée.

LA ROCADE DE CHARTRES

4. Revivifier la ville par le micro-urbanisme

Les finances publiques et l'actuel goût des Français invitent à penser que les grandes opérations d'aménagement urbain et les gestes architecturaux posés à la face du monde ont fait leur temps. Édiles, urbanistes, architectes, usagers se demandent aujourd'hui s'il ne serait pas possible d'embellir et d'améliorer l'espace urbain en songeant d'abord aux citadins, dont le goût n'est pas nécessairement moins éclairé que celui des princes et dont les aspirations ont le droit légitime d'être satisfaites.

Un gros effort doit être accompli en matière de circulation et de transports en commun. L'automobile individuelle est trop utile et agréable pour être interdite. En revanche, tout doit être fait pour éviter qu'elle rende périlleuse la circulation piétonne, qu'elle empuantisse l'atmosphère urbaine, qu'elle couvre de ses décibels les autres bruits de la ville et le silence réparateur de la nuit. Les usagers, et maintenant les commerçants, apprécient les rues piétonnes qui permettent le plaisir de la flânerie en plein air mêlé à l'acte chaland. Beaucoup de villes de France ont aménagé des zones piétonnes en leur centre et des parcs à voiture les jouxtant. Le chantier des années à venir est celui des entrées de ville qui rivalisent de désordre, de laideur et de prétention. Tous les utilisateurs (pompistes, grandes surfaces commerciales, publicitaires, ingénieurs des ponts et chaussées et entreprises de travaux publics auteurs des ronds-points qui se multiplient, etc.) cherchent brutalement à s'affirmer, sans qu'aucune règle ne vienne canaliser cet exhibitionnisme paysager.

Dans les villes traversées par des rivières, les berges ont été souvent transformées en routes à grande circulation (voie Georges-Pompidou de la rive droite de Paris), voire, comme à Lyon, en autoroute accueillant un transit international. La reconquête des rives par les promeneurs est une demande prioritaire des citadins. C'est ce que les Valois et Henri IV avaient en leur temps réalisé à Paris en aménageant le Cours-la-Reine, en construisant la Galerie sur l'Eau et le Pont-Neuf, le premier qui ne fut pas couvert de maisons.

On retient d'Haussmann les grandes percées dans le tissu urbain ancien de Paris, on ne pense pas assez à l'œuvre accomplie sous sa férule et celle d'Alphand dans l'art des jardins (Buttes-Chaumont, bois de Boulogne) et celui du moblier urbain. Des lampadaires répandant une chaude lumière, des bancs bien galbés et judicieusement placés, des fontaines, des chalets de nécessité, des buvettes ont rendu plus confortable la vie des Parisiens de tous milieux sociaux pendant des décennies. Les habitudes ayant changé, un nouvel effort d'imagination s'impose, alliant l'utilitaire et l'esthétique.

L'aménagement au service de tous, c'est aussi sans doute une certaine discrétion dans l'expression paysagère de chacun. Le décor intérieur

ÉLOGE DES ÉPICIERS

Les épiciers n'ont pas nécessairement du génie et cependant nous les écoutons, nous nous confions à eux. Le fait peut supporter plusieurs types d'explication. Des personnes modestes, ou enfermées dans la solitude de leur foyer, y trouveraient une oreille complaisante ou encore, s'il s'agit de personnes qui bénéficient d'autres types de relation, « c'est qu'elles consentent » à la médiocrité, au bavardage : papoter, se livrer aux enchaînements des formes habituelles de la politesse, voilà qui reposerait des douleurs du concept et de l'écriture et qui nous réassurerait que l'univers n'a pas cessé d'exister dans sa concrétude et peut-être dans sa bêtise épaisse, tandis que nous nous absentons dans la réflexion ou dans la description. Ou encore, et déjà l'importance des lieux vient à nouveau poindre, on ne pénètre pas chez quelqu'un, fût-ce un lieu public comme une épicerie, comme cela, sans précautions. La désinvolture des grandes surfaces ne s'est pas heureusement encore inscrite dans nos comportements. Il nous faut dire bonjour, prendre congé, nous informer de la santé de nos hôtes, etc. ; en outre l'acte d'acheter, lorsqu'il n'a pas été vidé de sa signification, constitue une forme d'échange qu'il convient d'entourer d'un certain protocole. On n'échange pas, à la va-vite, du camembert ou de la bavette contre de l'argent, sans faciliter, par quelques mots, le troc, le don et le contre-don. De son côté, le petit commerçant, en difficulté, voudrait exprimer sa gratitude et nous embrasserait, s'il osait, sur les deux joues pour nous remercier du délai de grâce qui lui est imparti grâce à la coopération de ses quelques clients.

Source : Pierre Sansot, *op. cit.*

SAINT-ÉMILION (GIRONDE)

Cette active petite capitale viticole a de vieux quartiers agréablement restaurés.

154

des logis ne regarde que leurs usagers et leurs hôtes. En revanche, l'architecture et la décoration .érieures, les couleurs s'imposent à tous les regards et, à la différence du vêtement, pour longtemps. Se posent ici les problèmes complexes de la liberté individuelle, de la réglementation légitime, du conformisme, de la créativité, du bon goût. Il n'existe pas de solution idéale, de paysage parfait. Les sociétés n'ont-elles pas les paysages qu'elles méritent, tant ceux-ci leur ressemblent dans les harmonies et les fractures qui les composent ?

Enfin, l'urbanisme à visage humain, ce sont aussi ces petits riens qui rendent la vie agréable : des trottoirs assez larges, une signalisation claire, la propreté entretenue par les édiles, comme par les citadins eux-mêmes... et leurs chiens, de la verdure et des fleurs, des maisons ravalées et des devantures de magasins attrayantes, de l'eau réellement potable au robinet, etc. Beaucoup a été fait et les citadins français sont des privilégiés, mais il y a aussi mieux ailleurs.

5. Espace du travail, des loisirs, des vacances

La montée de l'individualisme se traduit par la manière dont sont organisés les espaces de travail. L'idéal recherché est le poste de travail un peu isolé de la collectivité : bureau personnel, véhicule, par exemple. Être libre d'organiser son temps de travail est une revendication très française. C'est pour cette raison que la profession de chauffeur de taxi, malgré ses contraintes, est plutôt recherchée. Par ailleurs, à l'exception des cadres supérieurs, les Français passent le minimum de temps nécessaire sur le lieu de leur travail. La journée continue est appréciée. Repas, loisirs, sorties avec les collègues d'entreprise sont assez peu appréciés, différence fondamentale avec les habitudes extrême-orientales et même américaines.

Il en est de même des vacances. Elles se déroulent en famille et les contraintes collectives sont de moins en moins bien supportées. Très rares sont les hôtels-clubs en France. Les Français les acceptent à l'étranger, sur les rives méridionales ou orientales de la Méditerranée principalement, en raison de la faiblesse de leur coût. Même le Club Méditerranée a dû adapter ses pratiques et créer dans ses villages des espaces réservés aux couples ou aux familles. En dehors des colonies destinées aux enfants (qui leur préfèrent les « stages » d'équitation, de poterie, de kayak ou de randonnée), les grandes entreprises, les syndicats, les mutuelles se chargent de moins en moins de l'organisation directe des vacances de leurs employés ou adhérents qui craignent de retrouver leurs collègues ou l'embrigadement dans des activités non choisies. La montée du pouvoir d'achat des Français depuis la Seconde Guerre mondiale s'est traduite par la multiplication des résidences

LES DÉPARTEMENTS OÙ L'ON VIT LE MIEUX EN FRANCE

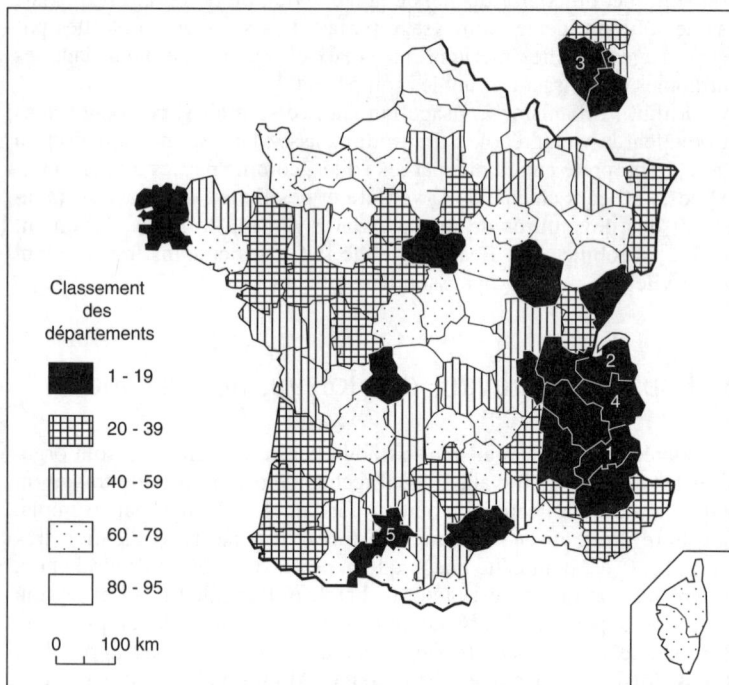

Classement
des
départements

- 1 - 19
- 20 - 39
- 40 - 59
- 60 - 79
- 80 - 95

0   100 km

Ce classement est fondé sur une enquête croisant les 47 critères suivants :

Dynamisme
1. Pourcentage des moins de 25 ans.
2. Solde migratoire départemental.
3. Pourcentage de salariés en formation permanente.
4. Nombre de radios locales.
5. Nombre de licenciés en sport/100 habitants.
6. Pourcentage d'étudiants parmi les 18-25 ans.

Richesse
7. Montant moyen de l'impôt sur le revenu.
8. Montant du salaire annuel moyen.
9. Indice de résultat brut d'exploitation agricole.
10. Plus de 60 ans touchant le minimum vieillesse (%).
11. Montant de l'épargne par habitant (en francs).
12. Foyers au revenu supérieur à 27 000 F (%).

Crise
13. Taux de chômage moyen.
14. Durée moyenne du chômage (en jours).
15. Chômeurs de plus d'un an (%).
16. Défaillances d'entreprises (évolution 1986-1990).
17. Logements construits (évolution 1987-1990).

Agrément
18. Superficie des réserves et parcs naturels (en km^2).
19. Nombre de sites classés.
20. Séjours de vacances dans le département (en milliers).
21. Bouchons routiers (en heures x km).
22. Dangers industriels potentiels.
23. Pollution industrielle de l'air.

Santé
24. Nombre d'habitants pour 1 médecin.
25. Équipement lourd hospitalier.
26. Toxicomanie : nombre d'interpellations.
27. Mortalité infantile/1 000 naissances.
28. Mortalité par alcoolisme/100 000 hommes.
29. Mortalité par alcoolisme/100 000 femmes.
30. Dépenses pharmaceutiques/personne protégée (en francs).

Criminalité
31. Taux de délinquance juvénile/ 1 000 jeunes.
32. Crimes contre les personnes/ 1 000 habitants.
33. Infractions contre les biens/1 000 habitants.
34. Criminalité en col blanc/1 000 habitants.
35. Vols de voitures.
36. Cambriolages.

Vie collective
37. Places de crèches/100 enfants de 0 à 3 ans.
38. Nombre d'enfants de 3 à 6 ans pour 1 instituteur.
39. Écart de salaire hommes/femmes cadres moyens (%).
40. Montant du budget sport/habitant (en francs).
41. Places maisons de retraite/ 100 habitants de + de 75 ans.
42. Nombre de kilomètres d'autoroutes.

Culture
43. Indice de fréquentation des cinémas.
44. Nombre de musées.
45. Nombre d'élèves dans les conservatoires de musique/10 000 habitants.
46. Nombre de livres de bibliothèque prêtés par habitant.
47. Dépenses culturelles du département par habitant (en francs).

Source : *Le Point*, 23 mai 1992.

LE CIMETIÈRE DE PAPETEE
(POLYNÉSIE FRANÇAISE)

secondaires. Le succès de départ des stations touristiques de la côte languedocienne ou des stations intégrées des Alpes s'explique ainsi.

En revanche, la vie associative, qui implique une libre adhésion, rencontre plus de succès. Les associations sportives, musicales, théâtrales, archéologiques, savantes, etc. foisonnent dans toute la France. Il est vrai que la vie de beaucoup d'entre elles n'est pas très longue, car les Français ne sont pas très persévérants dans leur militantisme.

6. L'espace des morts

La culture des peuples se manifeste avec acuité dans la manière dont ils traitent leurs morts et organisent des espaces à leur intention. La France change vite en ce domaine. Pratiquantes ou non, les familles françaises accordaient toutes argent et soins aux tombes familiales, plus dans le Midi méditerranéen, il est vrai, que dans le Nord. La plupart des cimetières (0,1 % de l'espace français) continuent à faire l'objet de soins attentifs de la part des municipalités et des membres âgés des familles. Les monuments aux morts sont entretenus, fleuris, ornés de drapeaux le 11 novembre, le 8 mai et le 14 juillet. En revanche, l'indifférence religieuse mêlée à la peur de la mort créent de nouvelles pratiques chez les jeunes qui ne trouvent plus guère d'intérêt à rendre un culte aux morts de leur famille. L'incinération, en plein essor, s'accompagne de plus en plus souvent d'une dispersion des cendres, parfois en des lieux qui ne sont chargés d'aucune symbolique (la petite pelouse étriquée dite « jardin du souvenir », au Père-Lachaise, par exemple). Paradoxalement, les tombes de certains artistes font l'objet d'un rituel proche du fétichisme de la part de certains jeunes (Serge Gainsbourg, Jim Morrisson, par exemple).

LA FRANCE EN ORIENT : LES CROISADES

Les Croisades ne sont qu'un aspect particulier, sans doute le plus spectaculaire, de l'expansion de l'Occident, d'un fort accroissement démographique. Il s'agit ici d'une véritable conquête de terres nouvelles, conquête politique et agraire. Que cette expansion s'inscrive dans un vaste mouvement religieux, soit marquée d'un esprit très particulier, soutenue par un élan collectif spontané, ne change rien à l'aspect humain du problème. Cependant, on ne peut taire le rôle de l'idée de Croisade, c'est-à-dire de pèlerinage et de reconquête.

Les diverses Croisades parties du Nord de la France, de Lorraine, de Normandie, du Languedoc et d'Italie du Sud provoquent l'établissement de quatre États latins en Orient. La première Croisade de Saint Louis s'inscrit encore dans la tradition des premières Croisades, mais vise aussi à maintenir la domination franque sur les côtes de Palestine. La seconde Croisade de Saint Louis (1270) s'insère dans un ambitieux programme de conquête d'un vaste empire méditerranéen, aux dépens des Allemands, puis des musulmans de Tunis, des Aragonais et des Byzantins.

Source : d'après Jacques Heers, *Précis d'histoire du Moyen Âge*, Paris, © PUF, 1973.

AH, DIOR, VUITTON... ET VOS CROISSANTS !

Français, on vous aime ! on aime votre sens inégal du beau, du luxe, du prestige, Christian Dior et Vuitton, Prisunic et les pâtisseries françaises, où nous aimons déguster vos croissants. On admire votre savoir-faire technologique, vos satellites, vos chars, vos radars, vos avions, même s'ils sont très très chers. On adore discuter avec vous : vous êtes subtils et vous connaissez nos traditions. Vous êtes souvent beaucoup trop impatients, mais on finit toujours par s'entendre, même si vos arrangements sont parfois bien curieux... On s'amuse de votre délicieux accent français quand vous parlez anglais. Mais pourquoi personne ne connaît-il l'anglais en France, à commencer par le chauffeur de taxi qui, parfois, nous fera faire trois fois le tour de Paris avant d'arriver à l'hôtel ? On déteste votre individualisme, votre laisser-aller, vos sacro-saints congés qui bloquent tout pendant deux mois, la méfiance de vos policiers à la frontière et votre absence de chaleur surtout quand vous êtes dans votre pays. Mais on vous pardonne tout, même votre chauvinisme, parce que vous êtes à la fois les Galeries Lafayette et la place Vendôme, la tour Eiffel et Euro Disney, Versailles et Beaubourg, les châteaux de la Loire et la Côte d'Azur, Chanel et Ariane, parce que, tout simplement, vous êtes... la France !

Source : Christine Fay, *Emirates News,* Émirats arabes unis, in *VSD* n° 831 du 5 au 11 août 1993.

8

La France en Europe
et dans le monde

Du fait de sa position d'ouverture sur la Manche, l'Atlantique et la Méditerranée, de sa tradition culturelle, du système social, économique et politique qu'elle s'est donné, la France est un pays extraverti. Très tôt au Moyen Âge, les Français se sont sentis assez sûrs d'eux-mêmes pour éprouver le désir d'exporter une part de leur culture : leur religion, leur langue, leur système de gouvernement, leurs expressions artistiques. Il est peu de peuples qui accordent autant d'importance à leur poids et à leur influence planétaires, non pas économiques, mais culturels. Depuis longtemps, leur inquiétude n'est pas celle de l'originalité de leur culture, mais de son rayonnement. Sont-ils assez connus, respectés, admirés, aimés ? Parle-t-on encore assez leur langue et lit-on assez leur littérature ? Les suit-on dans les cheminements de leurs pensées ? Imagine-t-on un responsable politique autre que français déclarer, comme Jacques Delors, à la veille de l'intégration européenne de 1993 : « Notre pays doit partager sa souveraineté pour mieux rayonner » ?

1. Histoire des Français hors de chez eux

Contrairement à ce que l'état des chemins pourrait laisser penser, pendant le Moyen Âge, les Européens voyagent beaucoup et loin, pour des motifs soit religieux, soit militaires, soit économiques. Évêques et moines entreprennent de longs voyages vers Rome ou d'abbaye en abbaye : ils contribuent à créer progressivement une chrétienté d'Occident. Ils poussent les laïcs, tout spécialement les Français, à se croiser et à partir en lutte contre l'islam. Les Français acquièrent d'ailleurs un tel prestige au cours de ces croisades que Normands, Bretons ou Italiens se diront tous Francs en s'établissant en Terre sainte. En matière de commerce, les Français se révèlent en revanche plutôt moins aventureux et présents que leurs voisins italiens ou nordiques.

LES FRANÇAIS DANS LE MONDE : CHRONOLOGIE

- 1099/1291 : Création puis perte des États latins d'Orient.
- 1534 : Découverte du Canada par Jacques Cartier.
- 1603/1763 : Installation puis cession à l'Angleterre du Québec et de l'Acadie. Maintien à Saint-Pierre-et-Miquelon.
- 1635 : Installation en Martinique et Guadeloupe.
- 1637 : Installation en Guyane.
- 1638/1642 : Fondation de Saõ Luis (Brésil) puis retrait.
- 1642 : Installation à l'Île Bourbon (la Réunion).
- 1674/1763 : Installation en Inde puis maintien dans cinq comptoirs jusqu'en 1954.
- 1682/1803 : Installation puis vente de la Louisiane.
- 1697/1804 : Conquête puis indépendance de Haïti.
- 1714/1918 : Le français est la langue diplomatique.
- 1766/1788 : Voyage de Bougainville puis de la Pérouse dans le Pacifique.
- 1830/1962 : Conquête puis indépendance de l'Algérie.
- 1840 : Installation en Terre Adélie.
- 1841-1975 : Installation puis indépendance des Comores. Maintien à Mayotte.
- 1842 : Protectorat sur Tahiti et Wallis-et-Futuna.
- 1853 : Installation en Nouvelle-Calédonie.
- 1858/1887/1954 : Installation en Indochine puis indépendance du Cambodge, du Laos et du Vietnam.
- 1858 : Installation à Clipperton.
- 1862/1977 : Conquête puis indépendance de Djibouti.
- 1880/1960 : Création de l'AOF puis indépendance des États africains.
- 1881/1956 : Protectorat puis indépendance de la Tunisie.
- 1883 : Création de l'Alliance française.
- 1885/1960 : Création de l'AEF puis indépendance des États africains.
- 1887/1980 : Installation aux Nouvelles Hébrides puis indépendance du Vanuatu.
- 1893 : Installation à Crozet, Kerguelen, Saint-Paul, Nouvelle Amsterdam.
- 1895/1960 : Conquête puis indépendance de Madagascar.
- 1912/1956 : Protectorat puis indépendance du Maroc.
- 1920/1943 : Protectorat puis indépendance de la Syrie et du Liban.
- 1945 : Le français est l'une des six langues internationales.
- 1973 : Création des sommets africains francophones.
- 1986 : Création des sommets de la Francophonie.

Trop préoccupée à panser ses plaies de la guerre de Cent Ans, mais en même temps trop fascinée par l'Italie, la France du XVIᵉ siècle omet de se doter d'une grande marine et ne participe pas à la conquête du Nouveau Monde. La découverte du Canada par Jacques Cartier en 1534 ne porte ses fruits qu'au milieu du XVIIᵉ siècle avec l'expédition de Cavelier de La Salle qui prend possession de la vallée du Mississipi et de la Louisiane en 1678. Néanmoins, l'avenir de l'Amérique du Nord est déjà scellé : sous Colbert, on ne compte que 12 000 Français en Nouvelle-France, contre 200 000 Anglais sur la côte orientale. En 1815, la France n'y possède plus que Saint-Pierre-et-Miquelon.

Plus efficace et durable se révèle la colonisation des Antilles à partir de 1635, dont l'exploitation est fondée sur l'implantation d'une classe de grands propriétaires qui utilisent des esclaves en provenance des comptoirs africains (Gorée, par exemple). Malgré les vicissitudes des divers traités passés avec les autres puissances européennes, la France conserve à la chute de l'Empire napoléonien la Guadeloupe, la Martinique, mais aussi la Guyane.

Dans l'océan Indien, la France prend pied sur l'île Bourbon (La Réunion) en 1642, l'île de France (Maurice) en 1715 et en Inde, à partir de 1666, et surtout entre 1741 et 1763, période pendant laquelle la moitié du Deccan est un protectorat français, que l'Angleterre reprendra, ne laissant finalement à la France en 1815 que cinq comptoirs.

Cette première phase de conquête se termine sur un semi-échec qu'expliquent la puissance montante de l'Angleterre et celle des États-Unis, mais aussi le développement de la betterave à sucre qui fait perdre une grande partie de l'intérêt des plantations de canne.

Tous les Français partis au loin après le XVIᵉ siècle n'ont pas cherché à planter leur drapeau afin d'agrandir le territoire national. Certains ont fui leur pays pour se placer sous la protection de puissances étrangères : ainsi les Huguenots partis en Europe protestante ou en Afrique du Sud. D'autres sont allés défendre le droit des opprimés (La Fayette). D'autres encore sont partis dans le but de convertir les âmes (missions catholiques et protestantes). Enfin, la France s'est illustrée dans l'histoire des explorations dont les intentions n'étaient pas toujours pures, mais dont les résultats scientifiques furent de premier plan. Linné, Bougainville, Caillié témoignent de cet effort et la première Société de géographie du monde est créée à Paris en 1821.

Un nouveau domaine colonial est constitué à partir de 1830 (conquête de l'Algérie, puis de l'Afrique occidentale et équatoriale, de l'Indochine, etc.). De 7 000 km² peuplés d'un million d'habitants en 1815, l'empire colonial de la France passe un siècle plus tard à 14 millions de km² et 48 millions d'habitants. Seule l'Algérie fait l'objet d'un important mouvement d'immigration de colons (800 000 à la veille de la Première Guerre mondiale, originaires de métropole, d'Italie, d'Espagne).

LA DIFFUSION DE L'ART GOTHIQUE (OU FRANÇAIS) EN EUROPE

UPPSALA

YORK

MAGDEBOURG

UTRECHT

WESTMINSTER

COLOGNE

Senlis

Noyon

PRAGUE

Coutances

Cambrai

Amiens

Soissons

Mont-St-Michel

Beauvais

Laon

Dol

Caen

Reims

METZ

Ro P

Ch

STRASBOURG

Ch

St D

To

Quimper

Le Mans

Sens

Colmar

Tours

Au

Tr

Semur

Dijon

Epinal

Poitiers

Nevers

Bourges

Genève

Bordeaux

CLERMONT-FERRAND

Lyon

Vienne

Bayonne

TOULOUSE

Aix

Orthez

Béziers

LÉON

BURGOS

TUDELA

TOLEDE

PALMA

NICOSIE (Chypre)

0   300 km

Ch	: Chartres
P	: Paris
St D	: St Denis
Au	: Auxerre
Ch	: Châlons
Ro	: Rouen
To	: Toul
Tr	: Troyes

(grisé)	Foyer de l'Ile-de-France
Bourges	Cathédrale française (1140 - 1250)
TOLÈDE	Cathédrale d'inspiration française
Poitiers	Autre église gothique

La Deuxième Guerre mondiale sonne le glas des entreprises coloniales. La guerre d'Indochine, la conférence internationale de Bandung (1955), puis la guerre d'Algérie (1954-1962) précipitent un mouvement appuyé tant par les États-Unis que par l'URSS. Un million de colons sont rapatriés d'Algérie. Au terme de cette décolonisation, tantôt calme, tantôt violente, mais en tout état de cause précipitée, voire bâclée, seuls demeurent français les territoires déjà rescapés du premier empire colonial.

2. Heurs et malheurs d'un modèle culturel exportable

Bien avant qu'un modèle culturel français se soit constitué, un certain nombre d'idées ou de techniques élaborées sur le territoire national s'exportent vers l'ensemble de l'Europe, et ce dès le Moyen Âge. On a déjà évoqué l'idée de croisade, résultant d'une association très étroite de la papauté et des Capétiens, avant de se généraliser au reste du continent. Si l'art roman clunisien ou cistercien naît dans une Bourgogne qui n'est encore française que par la langue, l'art gothique est une expression caractéristique de la montée du pouvoir royal français et de la prospérité des villes. De Saint-Denis et de Morienval, il se répand dans tout le nord de la France, mais aussi en Espagne, en Allemagne, en Flandres. Dans le domaine philosophique et théologique, il faut mentionner le rôle de la Sorbonne où viennent enseigner saint Thomas d'Aquin et saint Bonaventure, celui de Toulouse où saint Dominique fonde son ordre prêcheur en 1215. À Paris, la Montagne Sainte-Geneviève se couvre de collèges financés par différents mécènes français ou étrangers ; ils accueillent des *escholiers* de toute l'Europe.

La France a beaucoup appris de l'Italie pendant un siècle et demi (de 1494, début de la première guerre d'Italie à 1661, date de la mort de Mazarin). Certains artistes italiens vivent encore à la cour au début du règne de Louis XIV, mais ils deviennent entièrement français (Lully, Francine) ou repartent outre-monts (Le Bernin). Sous l'autorité exceptionnelle du roi, un modèle englobant tous les aspects de la vie culturelle se constitue et, bientôt, s'exporte jusqu'aux confins de l'Europe. La langue et la littérature, l'architecture, l'urbanisme, la sculpture, la peinture, la musique, la cuisine, l'art des jardins imaginés à Versailles et à Paris sont imités, non seulement dans tout le royaume, mais jusqu'à Naples, Berlin, Copenhague ou Vienne. Naturellement, ce surprenant succès concerne essentiellement les milieux de cour, mais par le biais des paysages urbains, il touche aussi un public beaucoup plus vaste.

Dans la seconde moitié du XVIIIe siècle, les idées philosophiques des hommes des Lumières bénéficient de cet élan. L'*Encyclopédie* de

L'INFLUENCE EN EUROPE DE L'ARCHITECTURE ET DE L'URBANISME CLASSIQUES FRANÇAIS

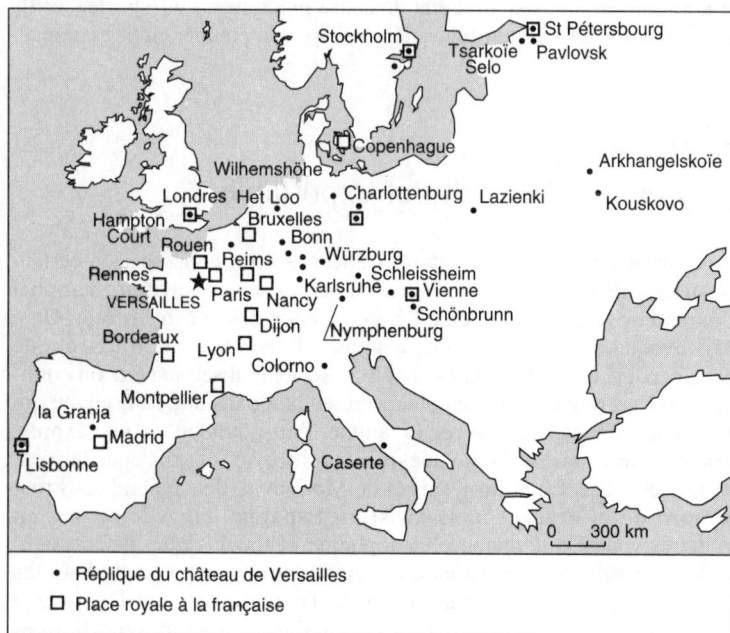

• Réplique du château de Versailles
□ Place royale à la française

Diderot et d'Alembert est un succès européen. Toutes les cours s'arrachent Voltaire. Jusqu'à maintenant, la *Déclaration des droits de l'homme et du citoyen,* promulguée en 1789, est un texte entouré dans le monde entier d'une grande vénération.

Si la politique de Napoléon est peu appréciée en Europe, tout démontre que sous l'Empire et sous la Restauration, le prestige de la France est encore intact. Mais petit à petit monte celui de l'Angleterre que l'insularité a desservi jusqu'alors, et qui s'appuie désormais sur ses succès économiques et coloniaux.

Néanmoins, la France continue à diffuser sa culture. Ses philosophes sont toujours des maîtres à penser. Les plus notables des hommes de culture et d'art continuent à venir de toute l'Europe pour effectuer des séjours parisiens plus ou moins longs. Paris est choisi à plusieurs reprises comme siège d'une Exposition universelle.

L'expansion coloniale est une nouvelle occasion pour les Français de diffuser leurs manières d'être, de penser, de créer. L'appât du gain, la brutalité, le mépris des cultures autres caractérisent cette période autant que la curiosité, l'abnégation, le souci de soigner, d'éduquer, de mieux nourrir. Les traits culturels ainsi diffusés sont moins élitistes que précédemment, ils n'en sont pas moins profonds et durables. Aujourd'hui, nombreux sont les pays ayant été colonisés ou influencés par la France et qui utilisent sa langue, son droit, son système fiscal, ses institutions politiques, scolaires et jusqu'à ses manières de table ou ses modes vestimentaires. La langue française est pratiquée sur tous les continents, en particulier par des millions d'Africains qui vivent dans des pays pluriethniques dans lesquels une langue véhiculaire est indispensable.

3. La francophonie

Pour permettre à la France de « tenir son rang » en matière culturelle, l'État a repris un concept forgé par Onésime Reclus en 1880, la francophonie, lui accordant, selon les gouvernements, une délégation, un secrétariat d'État, voire un ministère, ce que nul autre pays dans le monde n'offre à sa langue ! En 1782, l'Académie de Berlin met au concours le sujet suivant : « Qu'est ce qui fait de la langue française la langue universelle de l'Europe ? » Le français est le « beau langage » de toute l'élite européenne, alors, rappelons-le, que dans le même temps une bonne moitié de la population de la France ne parle pas encore le français. C'est le temps où rien d'important ne se dit, ne s'écrit et ne se décide en Europe en dehors du véhicule de la langue française. C'était déjà partiellement le cas au Moyen Âge où elle venait en deuxième position après le latin. D'origine normande francisée, les rois d'Angleterre s'exprimaient encore en français à la fin du XIVe siècle

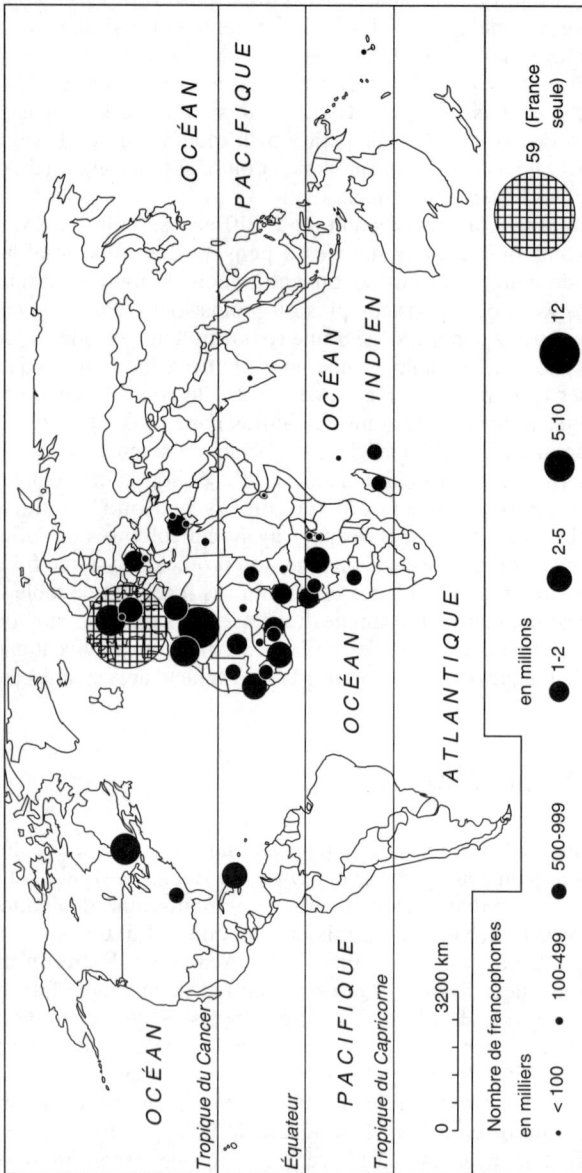

LA FRANCOPHONIE DANS LE MONDE

Source : Haut Conseil de la francophonie.

(*Dieu et mon droit* et *Honni soit qui mal y pense* sont toujours des devises royales). Après une éclipse de quelques siècles, son prestige se rétablit au XVIIIᵉ siècle, sous l'influence de la cour de Versailles, ainsi que des émigrés huguenots. Frédéric de Prusse parle en français à ses chevaux, en allemand à ses serviteurs...

Cette suprématie dure jusqu'au milieu du XXᵉ siècle. En 1914, le tsar Nicolas II écrit en français à son épouse. Le traité de Versailles en 1919, comme tant de traités antérieurs, est rédigé en français, mais il en existe aussi une version en anglais, preuve du déclin du rôle diplomatique et culturel du français. L'élite cultivée de l'Europe centrale et orientale a continué à apprendre le français pendant toute la période communiste, alors que celle d'Europe occidentale se tournait vers l'anglais. Ce fut une surprise de le découvrir à la chute du rideau de fer.

Le Haut Conseil de la francophonie estime le nombre de personnes parlant réellement le français et habitant dans des territoires où le français est langue maternelle ou « familière » à 134 millions, chiffre auquel viennent s'ajouter 25 millions d'autres locuteurs qui le parlent comme une langue étrangère. Cette dernière population diminue beaucoup depuis la Seconde Guerre mondiale. Dans la plupart des pays latins d'Europe ou d'Amérique, l'anglais supplante maintenant le français comme première langue étrangère et il est bien difficile de se faire entendre en français dans les réunions scientifiques internationales. Si l'on additionne les populations des pays où les lois, les indications routières, les postes et les télécommunications, les commandements militaires sont en français, on parvient à 285 millions de personnes. Si l'on compte même l'ensemble des habitants des 47 pays représentés au sommet de la francophonie de l'île Maurice en 1993, comprenant la Roumanie et la Bulgarie, mais pas l'Algérie, ni Israël, on arrive à près d'un demi-milliard pour la planète francophone. Cela ne crée aucun droit pour la France, peut-être des devoirs, en tout cas des liens affectifs qui méritent d'être cultivés, sans parler des aspects économiques et politiques qui y sont liés.

Il est d'usage de gémir sur une prétendue américanisation de la culture mondiale (Disney, Macdonald, Coca Cola, jeans, rock, etc.), mais à bien y regarder, et compte tenu du nombre de francophones, le rayonnement de la culture française est plus large qu'on ne le pense. Parmi les auteurs traduits en langues étrangères, Jules Verne vient en deuxième position, derrière la Bible et devant Lénine – qu'on n'édite plus guère depuis quelques années, il est vrai. La chanson française garde encore un vrai prestige (surtout en Extrême-Orient) qui confirme le mot de Chamfort au XVIIIᵉ siècle : « La France est une monarchie absolue tempérée par des chansons. »

Les Français sont parfois tentés de trouver futile la question de la francophonie et d'y voir un combat d'arrière-garde. En réalité, l'enjeu est celui du maintien de la diversité culturelle à la surface de la Terre au lieu d'une uniformisation sous le règne de l'anglo-américain. Une

FRANCOPHONIE :
POUR LE SALUT DE LA DIVERSITÉ

Appel lancé par le collectif québécois *Avenir de la langue française,* à la veille du sommet francophone de Port-Louis (Maurice) du 16 au 18 octobre 1993.

Nous Québécois, Nord-Américains de langue française, éprouvons une vive inquiétude devant le risque de colonisation linguistique et culturelle de la France par la pénétration accélérée du modèle anglo-américain et de la langue anglaise. [...]

L'anglo-américanomanie qui se développe depuis quelques années en France préoccupe l'ensemble des francophones dans le monde, particulièrement ceux d'entre nous qui sont d'origine française.

Nous sommes en effet tous comptables du destin de notre langue. À ce titre, nous nous estimons autorisés à réagir devant la crise du français dans l'Hexagone, espérant contribuer à conjurer un péril dont nous risquons d'être victimes autant que vous. Nous ne pouvons pas rester passifs devant le drame qui se noue, non seulement parce que ce serait là non-assistance à « mère patrie en danger », mais parce que votre propre déclin signerait le nôtre. Notre intérêt autant que notre affection nous incitent à prendre la parole. [...]

Jour après jour, les manifestations de cette abdication se multiplient avec une triste et persévérance éloquence : cela va des colloques scientifiques où l'usage du français est pratiquement exclu par les organisateurs jusqu'au déroulement en anglais des réunions des conseils d'administration de certaines grandes sociétés, en passant par l'omniprésence de la chanson à la télévision et par le tournage, désormais fréquent, en anglais de longs métrages. [...]

conception sereine, sans complexe d'infériorité ou de supériorité, de la langue et de la culture françaises ne sauraient gâcher le tableau du monde à venir et cela n'interdit nullement aux Français d'apprendre les langues étrangères. Le linguiste Claude Hagège s'emploie actuellement avec vigueur à démontrer les bienfaits du multilinguisme auquel la planète anglo-saxonne est assez rebelle.

4. Les DOM-TOM

La France entretient vis-à-vis de ses départements et territoires d'outre-mer des sentiments mêlés. Ils sont sa fierté, ses paradis tropicaux, la preuve matérielle que la décolonisation est achevée et qu'être français peut prendre des formes culturelles variées. En même temps, l'opinion les compare volontiers à des danseuses qui coûtent cher et à d'inutiles confettis d'un empire qui ne mérite aucune nostalgie. Les habitants de l'outre-mer, quant à eux, sont partagés entre la volonté de rester français (le 14 Juillet et même tout le mois de juillet est en Polynésie une fête grandiose), l'amertume d'une périphérie qui se pense oubliée, le rêve d'indépendance et la nonchalance qui remet au lendemain les décisions importantes, mais s'oublie parfois en cédant à ses nerfs. Les primes élevées dont bénéficient tous les fonctionnaires travaillant dans les DOM-TOM, même lorsqu'ils sont nés sur place, sont censées compenser le coût élevé de la vie. En réalité, ils permettent dans ces territoires un niveau de vie très supérieur à celui des pays voisins, font de la fonction publique – même les petits grades – une sinécure recherchée et freinent l'initiative. Cette hypertrophie des services publics apparaît bien dans le paysage un peu stéréotypé de toutes les villes organisées autour d'un port et d'imposants bâtiments administratifs (préfecture, haut-commissariat, mairie, etc.). Papeete, Nouméa, Fort-de-France, Pointe-à-Pitre, Saint-Denis-de-La-Réunion, différentes par le site ont plus qu'un air de famille par la morphologie urbaine.

Stratégiquement, les DOM-TOM représentent un atout certain pour la France. Ils lui permettent une présence sur tous les océans. Les réactions aux derniers essais nucléaires de Mururoa en 1995-1996 ont démontré qu'aux préoccupations écologiques s'ajoutait l'agacement d'un certain nombre de puissances régionales face à l'implantation d'un pays européen dans le Pacifique sur plus de 7 millions de km^2 de zone économique exclusive.

1. Les îles tropicales densément peuplées

La Martinique, la Guadeloupe, la Réunion, Mayotte, l'archipel de Polynésie, Wallis-et-Futuna sont des îles de taille restreinte, montagneuses

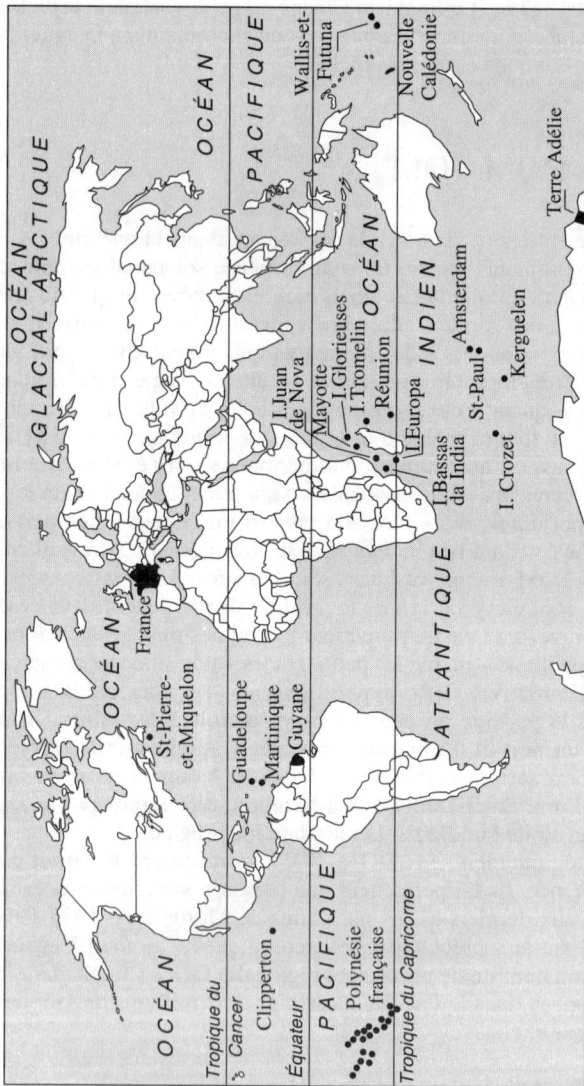

LA FRANCE D'OUTRE-MER (DOM ET TOM)

OCÉAN GLACIAL ARCTIQUE

OCÉAN PACIFIQUE

OCÉAN PACIFIQUE

OCÉAN ATLANTIQUE

OCÉAN INDIEN

Tropique du Cancer

Équateur

Tropique du Capricorne

France

St-Pierre-et-Miquelon

Guadeloupe

Martinique

Guyane

Clipperton

Polynésie française

Wallis-et-Futuna

Nouvelle Calédonie

I.Juan de Nova

Mayotte

I.Glorieuses

I.Tromelin

Réunion

I.Europa

I.Bassas da India

Amsterdam

St-Paul

Kerguelen

I. Crozet

Terre Adélie

172

pour les principales, offrant donc des paysages étagés et des contrastes prononcés de versants (au vent, sous le vent). Toutes sont soumises chaque année à des typhons ; la plupart courent le risque d'éruptions volcaniques ou de tremblements de terre. Leur latitude permet des cultures tropicales dont les principales correspondent à des marchés en crise : sucre, coprah. Les cultures de substitution ne sont que timidement mises en place : fruits, légumes, fleurs. Les populations sont largement métissées (créoles, demis), mais certaines familles sont restées assez proches de leurs origines, voire non métissées pour les plus récemment implantées : Européens (grands propriétaires ou petits Blancs), Indiens, Chinois et Indochinois dans toutes, descendants d'esclaves africains aux Antilles et dans l'océan Indien, Polynésiens dans le Pacifique. L'industrie est peu développée et archaïque. Le tourisme, qu'il soit populaire ou de luxe, est la seule vraie ressource autonome, mais il pourrait être mieux développé, surtout en ce qui concerne la qualité de l'accueil. Dans l'océan Indien, Maurice supplante la Réunion à tous égards, dans l'Atlantique, les Bahamas et même maintenant Cuba sont plus fréquentés que les Antilles françaises, dans le Pacifique Hawaï ou Guam que la Polynésie française.

2. La Guyane

Le plus vaste des DOM appartient à l'Amazonie. Quelques tribus indiennes vivent encore de manière traditionnelle dans l'intérieur, mais le littoral est très peuplé et urbanisé. Par rapport aux Antilles, il présente des originalités. Il dispose avec la base spatiale européenne de Kourou d'une activité moderne très rémunératrice et pourvoyeuse d'emplois pour le territoire. Par ailleurs, il subit un intense mouvement d'immigration clandestine en provenance du Surinam voisin qui pose de nombreux problèmes, tant est grande la misère de ces arrivants.

3. Le TOM de la Nouvelle-Calédonie

C'est le territoire le plus contrasté dans son organisation ethnique, politique et économique. Les Canaques, autochtones mélanésiens, représentent moins de la moitié de la population et se sont très peu mélangés aux Européens (familièrement appelés Caldoches) ou aux Asiatiques. La plus grande partie d'entre eux réside dans le nord, à l'est et dans les îles, et vit d'agriculture traditionnelle. Les Caldoches sont pour partie descendants de bagnards, pour partie d'immigrants venus faire fortune dans l'élevage, l'exploitation du nickel, la fonction publique expatriée, le commerce, plus récemment le tourisme. Ils sont concentrés au sud-ouest, principalement dans la région de Nouméa qui regroupe les deux tiers de la population totale.

LA PLACE DE L'OUTRE-MER DANS LA RÉPUBLIQUE FRANÇAISE

Entités administratives	Superficie		Population (1990)		Densité hab./km²	Zone maritime économique exclusive	
	km²	%	habitants	%		km²	%
France métropolitaine	551 000	49,6	56 242 700	96,7	102	260 290**	2,4
Saint-Pierre-et-Miquelon	242		6 300			54 900	
La Guadeloupe	1 800		386 600		26	170 900	
La Martinique	1 100		359 800	327,1	214,8		
Guyane	90 000		114 900		1,3	130 140	
Amérique française	93 142	8,4	867 600	1,5	1,6	355 940	3,2
Mayotte	374		80 000		213,9	50 000	
Îles éparses	52		*		–	657 610	
La Réunion	2 512		596 000		237,2	312 360	
Terres australes et antarctiques françaises (TAAF)	439 600		*		–	1 751 690***	
Océan Indien français	442 538	39,9	676 000	1,2	1,5	2 771 660	25,0
Nouvelle-Calédonie	19 103		166 700		8,7	2 105 090	
Wallis-et-Futuna	280		15 800		56,4	271 050	
Polynésie française	4 000		193 500		48,4	4 867 370	
Île Clipperton	8		–		–	431 015	
Océanie française	23 391	2,1	376 000	0,6	16,1	7 674 525	69,4
Outre-mer français	599 071	50,4	1 919 600	3,3	3,4	10 802 125	97,6
RÉPUBLIQUE FRANÇAISE	1 110 071	100	58 162 300	100,0	52,4	11 062 415	100

* Population de militaires et scientifiques recensées ailleurs.
** Zone méditerranéenne (80 000 km²) exclue, car non revendiquée actuellement.
*** Zone antarctique (112 000 km²) exclue, car non revendicable (cf. traité de l'Antarctique).

Source : recensement de la population 1990.

Depuis la fin des années 1970, la crise du nickel a touché tout le territoire, mais principalement les Canaques qui ont commencé à revendiquer fermement la restitution de leurs terres spoliées au moment de la colonisation. Ce fut en partie réalisé, mais malgré cela, des émeutes violentes ont éclaté en 1982, 1984 et surtout 1988. À l'issue de ces dernières les accords de Matignon ont créé trois provinces autonomes (Nord et Îles à majorité et gouvernement canaques, bénéficiant d'aides substantielles de Paris, Sud caldoche). Un référendum d'autodétermination est prévu en 1998.

4. Les inclassables

On compte parmi eux le département de Saint-Pierre-et-Miquelon, au large de Terre-Neuve. Comme à Saint-Barthelemy, aux Antilles, y vivent quelques milliers de pêcheurs originaires de l'ouest atlantique. La guerre de la morue avec le Canada rend problématique l'avenir de son économie. Les Terres australes et antarctiques françaises permettent à la France une présence scientifique à proximité et sur ce passionnant laboratoire qu'est le continent Antarctique. Clipperton, au large du Mexique, est une curiosité géographique : 8 km^2 de terre émergée, 431 000 km^2 de zone économique exclusive, nul habitant, nulle ressource actuelle depuis l'épuisement du guano !

5. Le rôle de la France en Europe et de l'Europe en France

Membre fondateur de la Communauté européenne du charbon et de l'acier (CECA, 1953) et de la Communauté économique européenne (traité de Rome, 1958), la France est toujours l'un des piliers de l'actuelle Union européenne à quinze. Elle joue le rôle de trait d'union entre une Europe du nord-est très europhile, assez stricte dans ses comportements économiques et culturels, une Grande-Bretagne, qui voudrait une Union faite à sa mesure, et une Europe du sud, active, en passe de rattraper son retard économique, mais qui fait preuve d'un certain laxisme dans sa manière d'interpréter les règlements et d'une grande habileté dans l'art d'obtenir des subventions. Tous les présidents de la République qui ont succédé au général de Gaulle ont adopté un discours très européen, ce qui n'implique pas que les Français soient toujours enthousiastes face aux contraintes que la Commission européenne de Bruxelles tente d'imposer (quotas de production, friches, marché unique, réglementations tatillonnes, etc.). Le débat préalable à

LES EXPORTATIONS DE CHAMPAGNE ET DE COGNAC

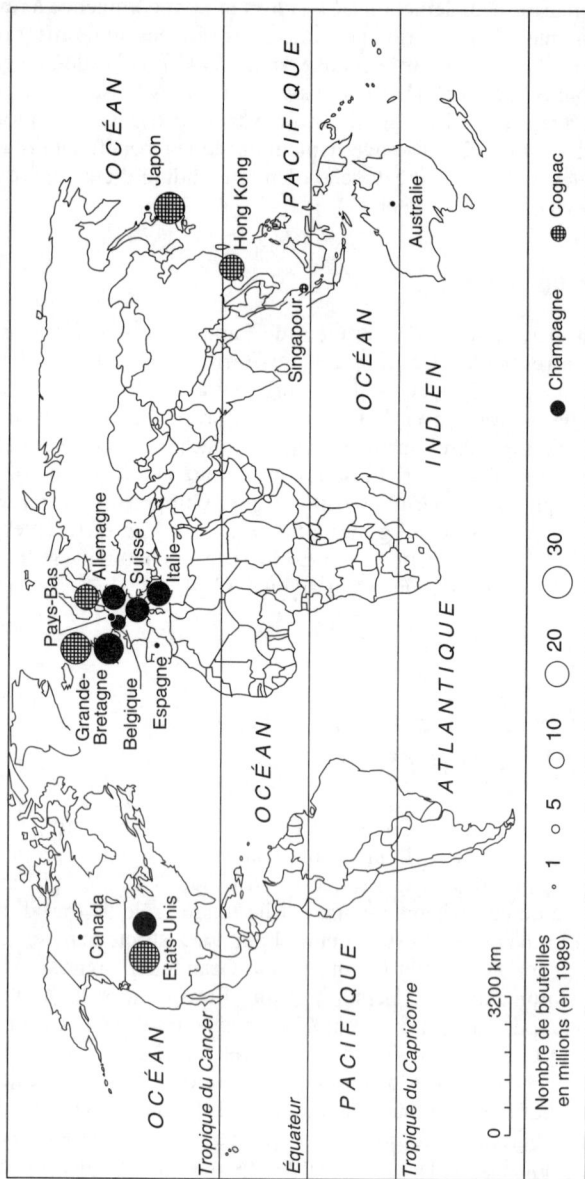

Canada

États-Unis

Pays-Bas
Grande-Bretagne
Belgique
Allemagne
Suisse
Italie
Espagne

Japon

Hong Kong

Singapour

Australie

OCÉAN PACIFIQUE

OCÉAN ATLANTIQUE

OCÉAN INDIEN

OCÉAN PACIFIQUE

OCÉAN

Tropique du Cancer

Équateur

Tropique du Capricorne

Nombre de bouteilles
en millions (en 1989)

· 1   ∘ 5   ○ 10   ○ 20   ○ 30

● Champagne   ⊕ Cognac

0 ___ 3200 km

Source : INSEE.

176

la ratification du traité de Maastricht en est un exemple. C'est l'un des rares moments de l'histoire politique contemporaine qui a vu les Français se partager hors du clivage traditionnel droite/gauche. Face à l'entrée en vigueur de la monnaie unique, à la réflexion sur la mise au point d'un système commun de défense et d'une meilleure coordination des diplomaties, la France adopte un discours de modération, ne cherchant ni à précipiter le mouvement, ni à le freiner, mais à faire respecter ses points de vue.

L'histoire même de la formation de la France montre que l'on ne fait pas facilement table rase des différences ethniques et culturelles et, plus généralement, géographiques lorsqu'on bâtit une nation. L'Europe de demain ne pourra donc que respecter la diversité des pays qui la constituent et dont plusieurs ont une existence millénaire. Certains hauts fonctionnaires de l'Union européenne rêvent d'une Europe qui ressemblerait aux États-Unis d'Amérique. C'est une grave utopie, car les conditions ne sont en rien comparables. Les Français en sont conscients. Leurs gouvernants savent se faire leurs interprètes lorsque le besoin s'en fait sentir.

6. Le rayonnement économique

Comme la plupart des pays européens et malgré la règle de la préférence communautaire, la France a clairement opté pour le libre-échange et son marché est l'un des plus ouverts au monde. Elle est devenue le 4e exportateur mondial, avec une balance commerciale pratiquement en équilibre, mais une balance des paiements largement excédentaire. Elle s'est surtout hissée au 1er rang mondial pour les investissements à l'étranger, juste devant le Japon. Elle a 10 000 filiales, près de 2 millions de salariés, dans 120 pays au premier rang desquels les États-Unis (15 %), puis l'Allemagne, le Royaume-Uni, l'Espagne, la Belgique, les anciennes colonies africaines, l'Amérique latine. En revanche, la participation de la France au décollage des anciens et nouveaux « dragons » de l'Orient reste faible, comparée à celle des États-Unis.

On ne sait pas toujours que ces investissements à l'étranger favorisent hautement l'emploi à l'intérieur des frontières nationales. En effet, les filiales réalisent 30 % des exportations industrielles de la France, car elles achètent de préférence à leurs maisons-mères.

De même, l'aide au développement menée dans le cadre de la coopération coûte objectivement cher (avec 40 milliards de francs, soit 0,6 % de son PNB, la France vient en 3e position, derrière les États-Unis et le Japon), mais l'explication de ce choix n'est pas seulement liée à l'histoire et à la morale ; il existe des retombées politiques et économiques non négligeables, difficiles à calculer cependant, car très indirectes. Qui

LA SPÉCIFICITÉ DE LA FRANCE EN EUROPE VUE PAR UN PHILOSOPHE BALTE ALLEMAND EN 1928

Jusqu'à la guerre mondiale, il n'y avait pas de pays où, à l'occasion, des hommes d'un vaste horizon de cœur et d'esprit ne citassent le vieil adage : tout homme a deux patries, la sienne et puis la France. Ce pays incarne la seule harmonie universellement compréhensible et directement sensible à chacun qu'il y ait, en Europe, entre l'homme et son monde ambiant. La langue elle-même est si spirituelle qu'un Français même stupide (et aussi un étranger moyennement doué, mais possédant l'esprit de cette langue) paraît plus intelligent qu'il ne l'est en réalité ; le goût français est par lui-même si exquis qu'à Paris « on » juge en général d'une manière plus sûre que ne le fait l'individu non pourvu de dons exceptionnels. La lucidité de cette langue, au sens le plus large, le raffinement de l'esprit qui l'anime jusqu'à lui donner une grâce objective et comme obligatoire, mettent, comme aucune autre forme de vie européenne, ce qui est spécifiquement occidental en rapport immédiat avec la nature humaine dans sa généralité. Aussi est-ce seulement sous une forme française que la culture européenne produit sur toute la planète une conviction immédiate. C'est pourquoi la langue française était justement considérée, il y a peu de temps encore, comme le plus parfait moyen d'entente. C'est pourquoi la plupart des formes de beauté spécifiquement européennes devenues bien commun sont d'origine française.

Le Français est jardinier essentiellement et au plus haut degré. La maîtrise culinaire, l'embellissement de la nature féminine par l'habillement, l'art de la société, l'élégance de la langue, la culture de la galanterie, l'esprit, l'obligation reconnue de montrer de la mesure en tout et d'avoir les égards dus pour la vanité d'autrui ne sont toujours que des variétés différentes de la nature du jardinier.

Source : Hermann de Keyserling, *Analyse spectrale de l'Europe,* 1928, édition française, Paris, © Stock, 1930.

peut chiffrer, par exemple, les conséquences de l'élection d'un secrétaire général de l'ONU dans laquelle la France a pesé de tout son poids, grâce à ses alliés francophones et ses obligés du « Sud » ?

7. La stratégie politique et militaire de la France

Le discours politique français sur la scène internationale est souvent vigoureux, voire provocateur (« Vive le Québec libre ! »), mais manque un peu de clarté. Il est écouté, mais pas toujours entendu. La politique vis-à-vis du monde arabe et d'Israël n'est guère facile à interpréter depuis Washington ou Bruxelles. De même en est-il de l'attitude vis-à-vis du Japon ou de la Turquie. Il y a fréquemment contradiction entre des prises de position critiques et le désir légitime de gagner des marchés importants. C'est tout spécialement vrai dans le domaine des armements dont la France est l'un des fabricants les plus performants. Tenants des droits de l'homme et anti-impérialistes changent parfois de casquette pour devenir représentants de commerce, voire marchands de canons. Ces contradictions ont affecté au cours des dernières décennies les relations avec l'Afrique du Sud, l'Iran, l'Irak, l'Arabie Saoudite, la Syrie, le Maroc, le Nicaragua ou la Pologne.

Depuis la perte de l'empire colonial, l'armée française s'est en grande partie repliée sur l'Hexagone. Les forces de souveraineté dans les DOM-TOM représentent environ 20 000 hommes. Quelque 10 000 autres stationnent en Afrique, en vertu d'accords passés avec les gouvernements des anciennes colonies. La France fournit aussi des casques bleus à l'ONU, ces dernières années pour des interventions au Liban ou en Yougoslavie, par exemple. Quel que soit l'avenir géostratégique et géopolitique de la planète, il est probable qu'il sera toujours nécessaire de disposer de forces professionnelles d'intervention rapide.

8. L'opinion que l'on a de la France et des Français

Les Français passent souvent pour être légèrement vaniteux, « arrogants » même disent les Anglo-Saxons. Sans doute est-ce un trait ancien de leur caractère, auquel le discours des hommes d'État depuis l'Ancien Régime n'est pas étranger. Il faut aussi reconnaître que les étrangers n'invitent pas toujours les Français à la modestie en admirant leur langue, leur littérature, leur cinéma (de naguère...), leur cuisine, leurs

LES PRINCIPALES QUALITÉS DES FRANÇAIS VUES PAR LES ÉTRANGERS

	Québec	Belgique	Espagne	Italie	Allemagne	Grande-Bretagne	États-Unis	Japon	URSS
Sympathiques	41	62	20	34	37	15	38	37	78
Accueillants	26	55	22	26	50	22	22	7	70
Intelligents	26	34	18	14	19	17	33	23	73
Débrouillards	24	44	11	17	43	18	19	4	71
Travailleurs	19	19	23	13	6	18	28	2	56
Propres	13	16	17	29	7	16	16	24	43
Sérieux	17	22	18	7	3	18	14	3	38
Honnêtes	16	32	5	5	11	9	16	3	38
Énergiques	21	24	6	6	8	13	19	3	69
Courageux	9	19	2	5	6	5	12	3	51

LES PRINCIPAUX DÉFAUTS DES FRANÇAIS VUS PAR LES ÉTRANGERS

	Québec	Belgique	Espagne	Italie	Allemagne	Grande-Bretagne	États-Unis	Japon	URSS
Contents d'eux	40	67	7	33	20	23	20	23	38
Bavards	42	64	14	26	21	18	21	12	48
Froids, distants	14	6	30	16	6	16	16	19	9
Entêtés	29	24	15	11	14	21	14	11	6
Hypocrites	6	11	18	10	3	17	13	6	10
Agressifs	11	14	16	6	6	15	10	4	10
Paresseux	2	18	3	7	16	5	5	5	23
Vieux jeu	8	13	4	8	5	9	11	2	10
Menteurs	4	6	7	6	2	5	8	1	8
Malhonnêtes	2	3	7	3	2	5	4	2	7

(Le total des pourcentages est supérieur à 100, les personnes interrogées ayant pu donner plusieurs réponses.)

Source : Enquête Figaro Magazine/SOFRES, printemps 1988.

vins, leurs robes et leurs parfums. Au fond, les Français font très attention à l'opinion d'autrui, ce qui s'explique facilement par la disproportion entre leur poids démographique et leur rayonnement, également par l'impression fugace qu'ils ont parfois de vivre sur les acquis d'un passé révolu. C'est un complexe qui ne résisterait pas à un effort collectif d'approfondissement culturel, d'apprentissage des langues étrangères, d'intelligence de l'ailleurs et d'autrui. Les Français gagneraient à ne plus ignorer la géographie...

CONCLUSION

Considérés à l'échelle planétaire, les Français, malgré les réels problèmes qui se posent à eux, ont la chance rare d'habiter un espace qu'ils maîtrisent plutôt bien. Les caprices naturels sont assez bien prévus et leurs dégâts limités. Avec ou sans emploi, le plus grand nombre dispose d'un minimum vital et accède aux services essentiels que sont la santé ou l'éducation. Certes la fraction d'habitants vivant en dessous de ce qu'il est convenu d'appeler par périphrase « le seuil de pauvreté » est trop grande et mérite d'urgence un grand effort d'imagination politique, économique et sociale. La circulation des hommes, des biens, des informations est libre et presque partout facile. Comme partout et de tout temps, les responsables politiques ne sont pas irréprochables, mais les institutions politiques permettent à chacun de s'exprimer et de s'investir dans la vie publique. À quelques nuances près, le droit s'applique à tous et partout. Il n'y a aucune autosatisfaction à tirer de ces constats et bien des améliorations sont nécessaires pour parvenir à plus de justice sociale et d'équilibre spatial. Ce dernier objectif est celui auquel aspire le géographe soucieux d'appliquer son savoir au service de ses contemporains. En revanche, et par comparaison avec tant de pays beaucoup plus mal lotis et gérés, les Français ont un devoir d'optimisme communicatif. Il est vrai que ce type de sentiment ne se décrète pas et que les maladies de langueur sont les plus difficiles à guérir. À plusieurs périodes de leur histoire, ils ont eu le goût de transmettre leur culture et leurs solutions en matière d'organisation de l'espace, d'institutions politiques et sociales. Cela reste un programme louable, pourvu qu'ils le fassent dans l'esprit d'ouverture qui les fera eux-mêmes progresser en empruntant à l'extérieur de leurs frontières les meilleures idées d'autrui, comme ils l'ont si souvent fait.

La mondialisation est souvent présentée comme un phénomène inéluctable. Peut-être, mais il y a plusieurs partis possibles à en tirer. Certains rêvent d'une planète de clones où justice équivaudrait à uniformité des ressources, des modes de vie, des cultures, une sorte de meilleur des mondes qu'un ordinateur géant administrerait sagement. Ce n'est ni réaliste, ni souhaitable. La vie dont l'humanité constitue la strate supérieure est trop foisonnante et multiforme pour entrer dans ce moule. En revanche, l'essor des déplacements volontaires de personnes, des échanges de biens et d'idées est un moyen de compenser les injustices les plus flagrantes. À chacun de mettre en valeur le meilleur de lui-même et de son environnement. Forts de leur expérience et de leurs compétences actuelles, les Français ont les moyens d'appliquer ce programme à eux-mêmes et d'aider la planète à s'engager sur cette voie, en dehors de tout esprit de système et dans le respect de la diversité des cultures. La considération pour la personne humaine, valeur dont les Français s'estiment depuis longtemps les défenseurs, est une garantie de non-dérapage de l'universel dans l'uniformité et le totalitarisme.

Bibliographie

BALESTE M. *et al., La France : 22 régions de programme,* Paris, Masson, 1995. Commode mémento.

BASTIÉ J., *Géographie du Grand Paris,* Paris, Masson, 1984. Utile synthèse sur la région capitale qui nécessite une mise à jour statistique.

BEAUNE C., *Naissance de la nation France,* Paris, Gallimard, 1985. Essai fondamental sur les origines historiques et mythiques de la France.

BÉTEILLE R. et MONTAGNÉ-VILLETTE S. (sous la dir. de), *Le « rural profond » français,* Paris, SEDES, 1995. Une géographie d'une grande partie de l'espace français, celui du presque vide.

BRAUDEL F., *L'Identité de la France,* Paris, Arthaud-Flammarion, 1986, 3 vol. Le dernier ouvrage – en partie posthume – du maître de la « nouvelle histoire ». L'approche géographique y tient une place notable.

BRUHL C., *Naissance de deux peuples. « Français » et « Allemands » IXe-XIe siècles,* Paris, Fayard, 1994. Ouvrage très érudit sur le haut Moyen Âge qui éclaire le processus de naissance des nations d'Europe occidentale.

BRUNET R. et AURIAC F. (sous la dir. de), *Atlas de France,* Paris-Montpellier, La Documentation française-Reclus, à partir de 1995, 14 vol. Somme cartographique indispensable.

CHAPUIS R. et BROSSARD Th., *Les Ruraux français,* Paris, Masson, 1986. Manuel déjà ancien, mais utile pour comprendre la vie des campagnes.

CHARRIÉ J.-P., *Les Activités industrielles en France,* Paris, Masson, 1995. Manuel classique et informé des derniers développements de l'actualité économique.

CHARVET J.-P., *La France agricole en état de choc,* Paris, Liris, 1994. Essai sur la crise de l'agriculture productiviste.

CHAUNU P., *La France,* Paris, Robert Laffont, 1982. Essai d'un grand historien sur la personnalité de la France et des Français.

CLARY D., *Le Tourisme dans l'espace français,* Paris, Masson, 1993. Manuel classique et accessible.

CLAVAL P., *Géographie de la France,* Paris, PUF, coll. « Que sais-je ? », 1993. Petit essai perspicace et de lecture facile.

DAMETTE F. et SCHEIBLING J., *La France. Permanences et mutations,* Paris, Hachette, 1995. Manuel plus original que son sous-titre, bien informé sur les problèmes économiques et d'aménagement du territoire, moins sur les aspects culturels de la géographie de la France.

DAVY L. et NEBOIT-GUILHOT R., *Les Français dans leur environnement,* Paris, Comité national français de géographie-Nathan, 1996. Ouvrage collectif qui traite de la géographie « physique » de la France du point de vue des occupants de l'espace français et de l'aménagement.

DÉZERT B., *La France face à l'ouverture européenne. Thèmes transfrontaliers,* Paris, Masson, 1993. Manuel qui replace la France dans le contexte de l'Union européenne.

DOLLOT L., *La France dans le monde actuel,* Paris, PUF, coll. « Que sais-je ? », 1987. Utile petit manuel traitant les différents aspects des relations internationales de la France.

DUBY G. et WALLON A. (sous la dir. de), *Histoire de la France rurale,* Paris, Seuil, 1975-1976, 4 vol. Synthèse historique inégalée, riche d'aperçus géographiques.

DUBY G. (sous la dir. de), *Histoire de la France urbaine,* Paris, Seuil 1980-1985, 5 vol. Synthèse historique inégalée, riche d'aperçus géographiques.

DUMONT G.-F., *L'Aménagement du territoire,* Paris, Éditions d'Organisation, 1994. Petit manuel de lecture aisée.

FRÉMONT A., *France, géographie d'une société,* Paris, Flammarion, 1988. Essai fondamental de géographie sociale.

GAMBLIN A. (sous la dir. de), *La France dans ses régions,* Paris, SEDES, 1994, 2 vol. Manuel pratique, illustré de cartes claires. Plan régional. Auteurs locaux, bien informés.

HUREAUX R., *Un avenir pour le monde rural,* Paris, Pouvoirs locaux, 1993. Essai présentant un état des lieux et des solutions variées pour le développement des espaces ruraux.

HUSSON J.-P., *Les Forêts françaises,* Nancy, Presses universitaires de Nancy, 1995. Utile synthèse par un géographe (aspects biogéographiques, économiques, etc.)

HUGONIE G. et VEYRET-MERKDJIAN Y., *France, milieux et environnement,* Paris, La Documentation française (Documentation photographique), 1996. Dossier synthétique illustrant le recentrage de la géographie dite physique et invitant la géographie dite humaine à prendre en considération les questions d'environnement.

LE BRAS H. et TODD E., *L'Invention de la France,* Paris, Le Livre de Poche, coll. « Pluriel », 1981. Original atlas commenté de l'histoire du comportement des Français.

LEDOUX B., *Les Catastrophes naturelles en France,* Paris, Payot, 1995. Ouvrage accessible et évitant le catastrophisme en expliquant les mécanismes aboutissant aux drames, dus le plus souvent à des imprudences.

LIMOUZIN P., *Agricultures et industries agro-alimentaires françaises,* Paris, Masson, 1992. Manuel clair et synthétique.

MERLIN P., *Les Villes nouvelles en France,* Paris, PUF, coll. « Que sais-je ? », 1991. Courte synthèse très bien informée et personnelle.

MERLIN P., *Les techniques de l'urbanisme,* Paris, PUF, coll. « Que sais-je ? », 1995. Courte synthèse très bien informée et personnelle.

MICHEL M., *L'Aménagement régional en France,* Paris, Masson, 1994. Manuel abordable.

NOIN D., *L'Espace français,* Paris, Armand Colin, coll. « Cursus », 1995. Un classique réédité maintes fois depuis 1976.

NOIN D. et CHAUVIRÉ Y., *La Population de la France,* Paris, Masson, 1995. Manuel synthétisant et commentant les résultats du recensement de 1990.

PAGNEY P., *Climats et cours d'eau de France,* Paris, Masson, 1988. Manuel clair et abordable.

PÉRIGORD M., *Le Paysage en France,* Paris, PUF, coll. « Que sais-je ? », 1996. Courte synthèse.

PITTE J.-R., *Histoire du paysage français,* Paris, Hachette, coll. « Pluriel », 1994, 2 vol. Approche de la géographie historique de la France au travers du paysage.

PITTE J.-R. (sous la dir. de), *Paris, histoire d'une ville,* Paris, Hachette, 1993. Atlas rassemblant cartes, reconstitutions et documents anciens.

PLANHOL X. DE, CLAVAL P., *Géographie historique de la France,* Paris, Fayard, 1988. Ouvrage fondamental et érudit.

PUMAIN D. et SAINT-JULIEN Th., *France,* dans BRUNET R. (sous la dir. de), *Géographie universelle,* volume *France, Europe du Sud.* Paris, Hachette-Reclus, 1990. Synthèse accordant toute leur importance aux échelles et aux réseaux. Les approches démographiques et économiques sont privilégiées.

ROBERT J., *L'Île-de-France,* Paris, PUF, coll. « Que sais-je ? », 1994. Courte synthèse rendant compte des évolutions récentes de l'agglomération parisienne.

ROCHEFORT M., *Dynamique de l'espace français et aménagement du territoire,* Paris, L'Harmattan, 1995. Essai sur les politiques territoriales récentes.

ROUDIÉ Ph., *La France. Agriculture, forêt, pêche, depuis 1945,* Paris, Sirey, 1993. Manuel structuré et actualisé.

SANSOT P., *La France sensible,* Paris, Payot, 1995. Approche poétique et nécessaire de la géographie de la France.

TAPINOS G. (sous la dir. de), *La France dans deux générations. Population et société dans le premier tiers du XXI* siècle, Paris, Fayard, 1992. Essai de prospective démographique.

Visages de la France. Contribution au débat national sur l'aménagement du territoire, Paris, La Documentation française, 1993. Petit atlas allant à l'essentiel.

WACKERMANN G. (sous la dir. de), *La France dans le monde,* Paris, Comité national français de géographie-Nathan, 1992. Ouvrage collectif sur le rayonnement culturel, politique, stratégique, économique de la France.

WACKERMANN G. (sous la dir. de), *L'Aménagement du territoire français,* Paris, SEDES, 1996. Synthèse très complète par de nombreux spécialistes.

ZELDIN Th., *Les Français,* Paris, Fayard, 1983. Essai ethno-historique sur l'identité des Français.

Table des matières

Du même auteur

Nouakchott, capitale de la Mauritanie, Paris, Publications du département de géographie de l'Université de Paris-Sorbonne, 1977.

La Mauritanie (en collaboration), Paris, PUF, coll. « Que sais-je », 1977.

Histoire du paysage français, Paris, Tallandier, 1983, 2 vol., 4ᵉ édition, Hachette « Pluriel », 1994.

Terres de Castanide. Hommes et paysages du châtaignier de l'Antiquité à nos jours, Paris, Fayard, 1986.

Géographie 2ᵉ, 1ᵉʳ et Terminales (direction), Paris, Nathan, 3ᵉ édition, 1987 à 1996.

Les Vins de l'impossible (direction), Grenoble, Glénat, 1990.

Les Restaurants dans le monde et à travers les âges (co-direction), Grenoble, Glénat, 1990.

Gastronomie française. Histoire et géographie d'une passion, Paris, Fayard, 1991.

Le Japon, Paris, Sirey, 1991, 2ᵉ édition, 1993.

Paris, Histoire d'une ville (direction), Paris, Hachette, coll. « Atlas Hachette », 1993.

Crédits photographiques : couverture : altitude Yann Arthus Bertrand ; p. 10 : Rapho/Goguey ; p. 28 : Archives Nathan/Jean-Loup Charmet ; p. 78 : Rapho/J.E. Pasquier ; p. 104 : Jerrican/Lerosey ; p. 140 : Explorer/ Pascal ; p. 146 : Explorer/Ngo-Dinh-Phu/Medialp ; p. 152 : Jean-Christophe Marmara ; p. 70, 82, 118, 154, 158 : Jean-Robert Pitte.

Édition : Laurence Michaux, Jean-Christophe Saladin
Cartographie : Florence Bonnaud

n° de projet : 10037816 - (I) - 2,5 - (OSBTO - 80) - Mars 1997
Imprimé en France par Pollina, 85400 Luçon - n° 71749